Un Dydd ar y Tro

Un Dydd ar y Tro

HUNANGOFIANT

Trebor Edwards

gyda Elfyn Pritchard

y**L**olfa

Argraffiad cyntaf: 2009

Argraffiad Print Bras ar gais
Cymdeithas Prif Lyfrgellwyr Cymru

Dymuna'r cyhoeddwyr gydnabod cymorth ariannol
Cyngor Llyfrau Cymru

Cynllun y clawr: Y Lolfa
Llun y clawr: Llinos Lanini

Rhif Llyfr Rhyngwladol: 978-1-84771-150-2

Cyhoeddwyd, rhwymwyd ac argraffwyd yng Nghymru
gan Y Lolfa Cyf., Talybont, Ceredigion SY24 5HE
gwefan www.ylolfa.com
e-bost ylolfa@ylolfa.com
ffôn 01970 832 304
ffacs 832 782

CYNNWYS

Diolchiadau

*Mae diolch yn ddyledus i amryw o bobl
(gormod i'w henwi) am eu cymorth
wrth lunio'r hunangofiant hwn. Diolch
am eu parodrwydd a'u hynawsedd.
Diolch yn arbennig i Elfyn Pritchard am
ei holl waith.*

PENNOD 1

'Mae fy ngwreiddie 'Mhen y Bryniau...'

'MI FASWN I'N LICIO ffarmio Pen Brynie.'

Y flwyddyn 1954 oedd hi pan ddeudes i hynny, un o frawddege pwysica 'mywyd i, a'i deud hi wrth y person iawn. Wrth Mam.

Roeddwn i'n bymtheg oed ar y pryd, yn byw mewn tŷ bychan ym mhentre Betws Gwerful Goch efo Dad a Mam, Robert Cadwaladr a Luned Edwards, a fy nhair chwaer, Margaret, Gweneurys ac Ann. Fi oedd yr hynaf o bedwar o blant felly, ac yn mynychu Ysgol Tŷ Tan Domen y Bala, y Bala Boys Grammar School fel roedd hi'n cael ei galw yr adeg honno, ac yn breuddwydio am fod yn fwtsiwr, gan mai bod yn fwtsiwr oedd y peth agosa at fod yn ffarmwr, a doedd gen i, nad oeddwn i'n fab ffarm, ddim gobaith o gyflawni fy ngwir ddymuniad.

Tŷ Newydd oedd enw'r cartre, ond doedd o ddim yn newydd a thŷ bychan iawn oedd o, wedi'i adeiladu uwchben y Betws, ar dro allt serth ar y ffordd sy'n arwain dros Glan Gors i Wyddelwern. Roedden ni fel sardîns ynddo fo, yn enwedig yn ystod y nos. Tŷ un llofft oedd o, ond bod partisiwn wedi'i osod i'w gneud yn ddwy, ac roedd Dad a Mam yn cysgu yn un rhan a fi a'm chwiorydd yn y llall.

Ond, roedd o'n dŷ cynnes, ac fel teulu'r bwthyn bach to gwellt, roedden ni'n deulu hapus iawn. Un tawel, gwastad oedd fy nhad, a Mam fydde'n tanio ac yn disgyblu pan oedd angen. Ond dwi rioed yn cofio awyrgylch annifyr yn y tŷ, a fin nos mi fydde'n gyrchfan i lawer o bobol a alwai heibio, yn ôl arfer yr oes, ar ryw berwyl neu'i gilydd ac i roi'r byd yn ei le. A chan mai fi oedd yr unig hogyn, mae'n siŵr 'mod inne'n cael fy siâr o dendans gan Mam a fy chwiorydd – ac yn ei fwynhau!

Pan oeddwn i'n bedair oed, ac yn rhy ifanc i ddallt, mi ddaeth cysgod du dros ein cartre pan fu farw fy chwaer, Glenys Erfyl, yn wyth mis oed. Wnaeth hynny ddim effeithio dim arna i ar y pryd, ond tair blynedd ar hugien yn ddiweddarach mi wyddwn i ac Ann fy ngwraig yn union sut oedd Dad a Mam yn teimlo yr adeg honno.

Yn goron ar fy hapusrwydd roedd gen i mewn gwirionedd ddau gartre, Tŷ Newydd a Phen Brynie. Ym Mhen Brynie roedd Taid a Nain, Clement a Magi Jones, yn byw. Wnes i ddim dallt tan ddiwrnod ei hangladd mai Margaritta oedd enw llawn Nain.

Bob nos Wener, pan oeddwn i'n ddigon hen i fynd fy hun, mi fyddwn i'n ei 'nelu hi am Ben Brynie yn syth o Ysgol y Betws ac yn aros yno tan ddydd Sul. Allan drwy'r giât o'r iard a throi i'r dde i fyny'r allt, yn hytrach nag i'r chwith i lawr am adre, a hynny heb aros am yr un o'r plant eraill, er bod amryw ohonyn nhw â'u cartrefi yn yr un cyfeiriad. Doedd loetran a cherdded ling-di-long ddim yn beth i'w neud a finne a 'mryd ar gyrredd Pen Brynie. Cerdded yn gyflym neu hanner rhedeg y byddwn i at Bengeulan, yna croesi'r caeau a dod allan i'r ffordd wrth Tŷ Nant Isa, ymlaen wedyn i fyny at Tŷ Nant Ucha ac ar hyd y ffordd i drofa'r Hendre, cyn llamu dros y gamfa ac ar draws y caeau i Ben Brynie.

Taith natur go iawn, ond chlywes i erioed aderyn yn canu, chwilies i erioed am yr un nyth, sylwes i erioed ar yr un blodyn yn yr un o'r caeau, a doeddwn i ddim yn ymwybodol o su awel mewn coeden na bwrlwm dŵr mewn nant. Roedd fy mryd ar gyrredd fy nefoedd, a'r unig syne a ddaliai fy sylw oedd bref ambell oen neu ddafad a sŵn cyson glaswellt yn cael ei rwygo wrth i'r gwartheg bori'r caeau. Syne byd ffarmio oedd y rheiny, a ffarmio oedd yn mynd â 'mryd.

Ffarm fynyddig ydi Pen Brynie a gall fod yn ddigon gerwin yno yn y gaeaf. Doedd y tŷ, bryd hynny, ddim yn dŷ mor gynnes â Tŷ Newydd, gyda grisie agored yn dringo o'r gegin â'i llawr cerrig gleision i'r llofftydd. Ond roedd o'n dŷ mwy o lawer, ac roedd yno bob amser glydwch a chynhesrwydd croeso, a lle i ni i gyd glosio at y tân agored yn y grât fawr ddu yn y gegin fyw.

Yno roedd Taid a Nain, a'r plant – Morris, Ifor ac Eirlys, brodyr a chwaer fy mam – yn byw. Mam oedd yr hynaf o gryn dipyn ac roedd hi wedi gadael cartre i sefydlu ei chartre ei hun ers blynyddoedd. Roeddwn i'n hoff ohonyn nhw i gyd, ond Taid oedd yr arwr. Y fo oedd y ffarmwr ac roeddwn yn hanner ei addoli. Roeddwn i wrth fy modd efo'r plant hefyd, yn enwedig Morris ac Ifor, oedd yn hŷn na mi wrth gwrs, ond ddim yn rhy hen i fod yn ffrindie. Er ei fod o'n dŷ peder llofft, yn yr un llofft â nhw y byddwn i'n cysgu ac mi fydde yno hen siarad a hel straeon. Yn ôl arfer y cyfnod, roedd yn rhaid cadw un llofft yn 'llofft ore' a doedd ene fawr o ddefnydd i'r parlwr chwaith, a stafell damp ar y naw oedd honno. Pa eisie parlwr mewn tŷ ffarm?

Ond roedd yno gegin gefn, ac yn honno grât gefngefn â'r grât yn y gegin fyw. Ac roedd yno fwtri neu 'dderi' gyda silffoedd cerrig oer i gadw'r llaeth, y menyn, a'r wye, yn ogystal â'r fudde, y llestri godro a'r cig oen, gan y bydde Taid yn lladd oen bob hyn a hyn.

Ar ddrws y gegin gefn, y drws a âi drwodd i weddill y tŷ, roedd bwrdd darts, rhywbeth anhygoel i blentyn a fagwyd mewn bwthyn bychan, ac mi fydden ni'n treulio orie lawer yn chware, gymaint felly nes bod pren y drws lle hongiai'r bwrdd darts yn dylle fel tylle pry ac yn dystiolaeth i'r holl ddartie strae a fethodd y bwrdd yn ogystal â'r targed.

Dau garedig oedd Taid a Nain. Taid oedd y disgyblwr pan fydde angen am hynny, ac roedd o'n gallu gwylltio, er nad yn amal, ond roedd o'n sicr yn fwy gwyllt na Dad; person tawel a digynnwrf iawn oedd o. Eto, doedd Taid ddim yn rheoli ei deulu efo llaw haearn er y bydde 'ne weithie anghytuno rhyngddo fo a Morris, y mab hyna – anghytuno ar fater ffarmio a rheoli gan amla. Y fo, wrth gwrs, neu Ifor y brawd iau, fydde yn y man yn ffarmio Pen Brynie a go brin y bydde 'ne, fel y datblygai pethe, le i'r ddau i aros gartre. Ond y dyfodol oedd hynny, a'r dyfodol hwnnw ymhell i ffwrdd i hogyn bach a doedd ystyriaethe felly ddim yn gwmwl ar y ffurfafen. Roedd pob eiliad yn y lle yn werth y byd; bwyta efo'n gilydd wrth y bwrdd mawr yn y gegin gefn, Jenkin y gwas efo ni hefyd, gan nad oedd y syniad o ni a nhw yn bod yno, a digon o siarad a thynnu coes ac awyrgylch gartrefol fel yn Tŷ Newydd – a neb yn deud wrtha i am gau 'ngheg, dim ond gadel imi gymryd rhan yn naturiol ym mhob sgwrs.

Plaen oedd y bwyd, ond roedd Nain yn gogyddes dda ac roedd blas arbennig ar ei bwyd – fel y dywed cân Bryn Fôn, 'roedd aroglau cartre yn llenwi'r lle'. Hogle pobi bara a rhostio cig – cig oen pan fydde Taid wedi lladd ganol haf, cig moch wedyn o Glan Gaea ymlaen gan fod lladd mochyn cyn y gaea, halltu'r cig, a'i hongian ar y bache o dan y nenfwd yn rhan o fywyd pob ffarm. Mae'r bache'n dal yno hyd y dydd heddiw. Roedd Nain yn enwog am ei chroeso a hynny hyd y diwedd, flynyddoedd ar ôl gadel Pen Brynie, a hithe'n byw ar ei phen ei hun ar ôl colli Taid. Paned a brechdan a thun o ffrwythe oedd yr arlwy erbyn hynny, ac mi fydde'n taenu'r menyn yn ofalus fel ei fod yn cyrredd i bob cornel ac yn cyfro'r frechdan yn llwyr.

Fel Tŷ Newydd yn y pentre, roedd Pen Brynie yng nghanol y wlad yn gyrchfan pobol a chymdogion ar fin nos, yn enwedig nosweithie hirion y gaeaf. Pan fydde plant Pencraig yn galw heibio ac yn cael eu perswadio i aros, bydde lliain gwyn yn cael ei osod ar y gwrych er mwyn rhoi arwydd o hynny i'w rhieni. Ac mi fydde yno ganu. Roedd Taid yn gerddorol iawn, a chanddo glust dda a llais bariton cyfoethog. Doedd o ddim yn gallu chware'r piano – pitsfforch oedd ei 'offeryn' o – ac Eirlys, chwaer Mam, fydde'n cyfeilio. Yn wir, roedd y modiwlator ar gefn drws y gegin fyw cyn bwysiced â'r bwrdd darts ar ddrws y gegin gefn. Bydde hel rownd y piano i ganu yn rhan naturiol o fywyd a diddanwch cefn gwlad, a finne, y boi soprano byrgoes, wrth fy modd pan gawn fy nghanmol am fy nghanu – yn enwedig pan fydde Taid yn canmol.

Yn ôl Anti Amy, cyfnither Mam, sy bron yn naw deg oed erbyn hyn ac yn cofio'r hen ddyddie, dyma'r lle mwya croesawus yn y byd.

Pa ryfedd felly imi ddeud wrth Mam yn bymtheg oed: 'Mi faswn i'n licio ffarmio Pen Brynie.'

Mae 'ne rai plant sy'n hiraethu am adre dim ond ar ôl bod i ffwrdd am ddiwrnod. Fu arna i erioed hireth felly gan fod Pen Brynie yn ail gartre i mi. Doedd dim rhaid imi fynd â phecyn o ddillad efo fi i'r ysgol ar ddydd Gwener yn barod ar gyfer yr ymweliade gan fod gen i ddigonedd o *hand-me-downs* ar y ffarm, a'r rheiny fyddwn i'n eu gwisgo ar y nos Wener a'r dydd Sadwrn. Handi iawn oedd y rheiny, mae'n siŵr, gan ei bod hi'n gyfnod diwedd y rhyfel a dillad yn brin. O feddwl 'mod i wedi 'ngeni yr un flwyddyn ag y dechreuodd y rhyfel ac wedi treulio 'mhlentyndod yn ystod cyfnod caled y rhyfel a'r blynyddoedd yn dilyn, doeddwn i ddim yn ymwybodol o unrhyw brinder nac o unrhyw fath o galedi. Mae'n debyg i ni, yn yr ardaloedd gwledig, ddod allan ohoni'n well na thrigolion y trefi mawr – dim bomio, dim styrbans a dim prinder.

Mi fydde pob dydd Sadwrn yn ddiwrnod o ffarmio, a'r hyn a wnawn i'n dibynnu ar y tywydd a'r adeg o'r flwyddyn: trin yr anifeilied, dysgu godro, mynd rownd y defed a chwysu yn y cynhaeaf gwair.

Nid ar Sadyrne yn unig y byddwn i'n 'ffarmio' ym Mhen Brynie chwaith. Mi fydde Taid yn galw yn yr ysgol yn amal yn ystod y tymor wyna i ofyn am fy menthyg am awr neu ddwy i dynnu oen. Fo oedd wedi fy nysgu i, a chan fod gen i ddwylo bychain roeddwn i'n fwy addas na fo i'r gwaith. Galwai yn yr ysgol hefyd ambell dro pan oedd angen mwy o ddwylo yn y cynhaea gwair, yn enwedig pan fydde'r tywydd yn ddrwg. Roedd dealltwriaeth naturiol rhwng ysgol a chartref yr adeg honno, a Trefor Jones, y prifathro, yn fwy na bodlon i adel imi fynd – enghraifft dda o gydweithio cyn bod sôn am unrhyw gymdeithas rhieni ac athrawon na deddf gwlad yn mynnu presenoldeb llawn mewn ysgol heblaw bod 'amgylchiade arbennig'. A phrin fod gofynion byd ffarmio yn cael eu cyfri fel 'amgylchiade arbennig' ym meddwl gweithwyr sifil y llywodreth, gweithwyr nad oes ganddyn nhw'r syniad lleia be mae byw ar ffarm yn ei olygu.

Doeddwn i ddim yn hoffi tywydd gwlyb a stormus, a dwi'n dal i'w gasáu hyd heddiw. All yr un ffarmwr ddeud yn onest a'i law ar ei galon ei fod wrth ei fodd yn mynd rownd y defed a thrin y gwartheg ar dywydd gwlyb. Mae 'ne anfanteision i bob job ac i mi roedd manteision ffarmio yn gorbwyso'n hawdd unrhyw amgylchiade annifyr, ac erbyn hyn mae siedie mawrion ac wyna dan do wedi gwella llawer ar yr amgylchiade hynny i'r rhan fwya o ffarmwrs.

Roedd rhamant arbennig i ddyddie'r cynhaeaf gwair a phawb wrthi fel lladd nadroedd. Ac mi fydde gair o ganmolieth gan Taid neu un o'r brodyr fel petrol ym mheiriant y ffarmwr bach. Troi'r ystode gwair efo cribin fach, gneud mydyle, dysgu sut i osod y bicwachiad ola'n daclus ar ben y mwdwl fel rhoi corcyn ar botel, codi gwair at yr heulog – un o'r teisi bychain fyddai'n cael eu gwneud ar y cae ar rai adege – neu sefyll ar ei phen i osod a sodlu'r gwair yn daclus yn ei le; cribinio a swîpio efo'r gribin a'r swîp ceffyl – dyna rai o'm dyletswyddau. A finne'n hŷn erbyn hynny cawn ddreifio'r tractor pan ddaeth hwnnw i'w fri. Roedd rhamant a swyn ym mhob gorchwyl bron, ar wahân falle i chwalu mydyle ar ôl cyfnod hir o law – y gwair yn cydio yn sypie mawr anhwylus, a'r borfa, yr adlodd, yn dechre tyfu drwy'r mydyle. Ond cofio'r rhamant y bydda i. Mi fydde'r bolie'n wag a'r tafode'n grasboeth yn disgwyl am y te, ac mi fydde bwyta hwnnw yng nghysgod gwrych neu heulog fel bwyta picnic. Bryd hynny, roedd hi bob amser yn braf a'r awyr yn las ddigwmwl, fel awyr fy mywyd i.

Mi ddaeth tro ar fyd pan ddaeth y byrnwr mawr i'r fro, y *stationary*, i bacio'r gwair yn becynne tyn, trwm! Mi newidiodd y cynhaea gwair yn llwyr a buan iawn y disodlwyd y byrnwr mawr gan yr un bach, cyn i'r ffasiwn ddychwelyd at y byrne mawr, crwn sy'n cael eu lapio mewn plastig, ac sy'n rhan o gynaeafu pob ffarm erbyn hyn. Roedd Taid yn credu mewn symud efo'r oes, ac roedd o'n un o rhai cynta yn y fro i newid o'r gwair rhydd trafferthus i'r bêls.

Diwrnod pwysig oedd diwrnod dyrnu. Peirianne Cysulog neu Maesmor fydde'n dod o gwmpas ffermydd y Betws, ac mi fydde cryn gynnwrf yn y gwaed wrth eu gweld a'u clywed. Cario manus fydde fy ngwaith yn blentyn, gwaith nad oedd o byth yn gorffen wrth i'r domen gynyddu fwyfwy ac nid mynd yn llai, wrth imi fethu dal i fyny efo'r stwff a gâi ei chwydu allan o fol y dyrnwr. Hen beth annifyr oedd manus, yn cydio mewn dillad ac yn crafu'r croen wrth i'r awel ysgafnaf ei godi'n gymyle i'r awyr. Ond mi fydde 'ne hwyl cyn diwedd y dydd. Pan fydde'r das neu'r cowlas yn gwagio a'r lefel yn nesáu at y ddaear, dyna pryd y bydde'r llygod mawr yn ceisio dianc. Mi fyddwn yn eu hymlid a'u pastynu gan annog y cŵn arnyn nhw, ac yn cael canmolieth am bob un a gâi ei lladd. Roedd cinio diwrnod dyrnu wedyn yn ginio arbennig ac yn achlysur o bwys, wrth i'r cymdogion, a ddeuai i helpu, gystadlu efo'i gilydd i weld pa un alle fwyta fwya – a bwyta gyflyma! Mi fydde'r diwrnod yn wir yn ddiwrnod digon pwysig i mi gael pardwn rhag mynd i'r ysgol, o leia tra oeddwn i yn ysgol y Betws. Mwy crintachlyd oedd caniatâd y Bala Boys ond prin bod hynny wedi gneud unrhyw wahanieth i mi!

Lleihau wnaeth pwysigrwydd y diwrnod dyrnu wrth i'r ffermydd droi cefn ar dyfu ŷd. Ddigwyddodd hynny ddim ym Mhen Brynie, er i'r dyrnwr medi neu'r combein roi'r farwol iddo yn y man, ond pan oeddwn i'n blentyn, hwyl a rhamant mewn diogelwch cymdogol oedd bod ar y ffarm.

Doedd dim ryfedd felly imi ddeud wrth Mam yn bymtheg oed: 'Mi faswn i'n licio ffarmio Pen Brynie.'

Ond doedd dim gobaith. Y mab hynaf yn amlach na pheidio fydde'n etifeddu'r ffarm, er nad ydi'r drefn erioed wedi bod mor haearnaidd yng Nghymru ag ydoedd yn Lloegr, ac nid oedd hynny er lles cefn gwlad bob amser chwaith. Ym Mhen Brynie y disgwyl oedd mai Morris, yr hynaf o'r meibion, fydde'n etifeddu ac Ifor, yr ail fab, yn gorfod cymryd ei siawns drwy fynd i chwilio am le arall. Yn y cyfamser roeddwn i'n prysur ddatblygu yn rhyw fath o ffarmwr gan fod cae bychan ryw acer o faint yn perthyn i Tŷ Newydd, ac mi ges oen llyweth, un banw, yn anrheg gan Taid pan oeddwn i'n dal yn yr ysgol gynradd. Yn y cae y bydde'r oen yn cael ei fagu ac mi fyddwn yn edrych ar ei ôl fel tase fo'n blentyn i mi. Pan ddaeth yn ddigon hen ac yn hesbin fe'i cerddes i Ben Brynie i gael maharen. Doedd 'ne ddim cymlethdode dysgu am ryw yng nghefn gwlad; roedd dod i wybod y cyfrinache mor naturiol ag anadlu.

O dipyn i beth mi dyfodd y stoc, cael mwy

nag un oen gan Taid a'r rheiny, yn eu tro, yn magu. Mi fyddwn i'n gwerthu'r ŵyn gyrfed ac yn cadw'r beinw, ac erbyn imi gyrredd oed ysgol uwchradd roedd gen i ddiadell, nid o filoedd na channoedd na dege, er cymaint y dyhead, ond roedd gen i hanner dwsin! Llawn digon i un cae cyfyng ac i un ffarmwr bach.

Y fi a neb arall oedd ffarmwr Tŷ Newydd. Gweithio i gwmni yswiriant roedd Dad ar y dechre ac yna i'r Weinyddiaeth Amaeth, i ADAS, gan fynd o gwmpas yn profi tir a theithio i Fangor bob dydd – taith go bell yn un o geir y cyfnod. Roedd Mam yn gogyddes dda ac yn coginio yn ysgol y Betws, paratoad ardderchog ar gyfer bod yn berchen ar gaffi'r Gegin Fach yn Ninbych ymhen amser. Doedd gan fy chwiorydd fawr o ddiddordeb mewn ffarmio.

Ond gall y bwriade gore a'r cynllunie mwyaf trylwyr gael eu chwalu gan amgylchiade. Mi gafodd Morris gariad, sef Elen, merch Tŷ Cerrig y Betws, ac mi briododd, a hynny rai blynyddoedd cyn y bydde hi'n amser i Taid ymddeol. Cant pum deg a chwech o aceri oedd maint Pen Brynie, ffarm eitha mawr yn ôl safone'r cyfnod, ond yn rhy fach i gynnal dau deulu, ac felly bu'n rhaid chwilio am ddaliad arall i'r mab hynaf. Ac fe'i cafwyd, ond nid ar rent.

Ar ôl ystyried sawl ffarm oedd ar gael, mi ddaeth ffarm Minafon yng nghanol pentre Betws-yn-Rhos ar y farchnad, ac roedd hi'n cynnwys rownd laeth a phympie petrol. Mi brynwyd hi'n rhannol gan Taid ac yn rhannol gan rieni Elen wrth iddynt werthu Tŷ Cerrig er mwyn codi'r arian. Ac yno yr aeth Morris a'i wraig i fyw – symudiad arwyddocaol iawn yn fy mywyd inne hefyd yn y man. Yno mi ddatblygodd Morris y ffarm yn ffarm odro lewyrchus a llwyddiannus, ac erbyn heddiw mae'n faes golff. Mi brofodd pryniant dechre'r pumdege yn fuddsoddiad gwerthfawr!

Yn naturiol felly, gan fod y mab hyna wedi gadel, mi fydde Pen Brynie yn dod, yn y man, i Ifor, yr ail fab. Ond doedd ffawd ddim wedi gorffen ei waith. Mi gafodd ynte gariad, Ceinlys, merch ffarm Penrhwylfa, Llansannan, yr unig ferch, a'r unig blentyn! Cafodd wraig a ffarm, fel ei dad o'i flaen, ac yno yr aeth.

Erbyn hyn roedd Taid wedi cael digon ar ffarmio ac yn barod i ymddeol. Doedd o ddim yn hen ond doedd ei iechyd o ddim yn dda iawn, felly mi gynhaliodd sêl ym Mhen Brynie. Er mwyn cael ychydig o amser i feddwl cyn gwerthu, mae'n debyg, mi osododd y tir i David Craddock, gŵr o gyffinie Wrecsam oedd wedi prynu Tir Barwn, ffarm arall yn yr ardal, ar ôl i'r cyn-berchennog Frank Owen ei gwerthu er mwyn medru prynu Red Hall yn Penley, a symud yno i'r Faelor Saesneg. Daeth Craddock i fyw i Dir Barwn a'i fryd ar brynu Pen Brynie er mwyn ei gosod i rywun arall fel ffarm neu ddod yno i fyw ei hun. Roedd yn rhaid i Taid werthu beth bynnag, gan nad oedd ganddo fo ddigon o arian i fedru byw arno ar ôl ymddeol heb neud hynny. O ganlyniad bydde'n rhaid iddo fo a Nain symud, byddwn inne'n colli fy ail gartre ac yn dechre sylweddoli nad awyr las ddigwmwl oedd bywyd mewn gwirionedd.

Dene pryd y deudes i un o frawddege pwysica 'mywyd: 'Mi faswn i'n licio ffarmio Pen Brynie.'

Y flwyddyn oedd 1954, ac yn yr ysgol yn y Bala roeddwn i'n wynebu arholiade Safon 'O' neu'r CWB – y Central Welsh Board, fel roedden nhw'n cael eu galw bryd hynny. Doedd a wnelo fy awydd i ffarmio ddim i'w wneud â gadel ysgol. Roeddwn i wrth fy modd yno, yn teithio mewn tacsi i'r Ddwyryd ac yna ar y bws efo fy ffrindie Aelwyn Dolgynlas, Dew Bach a Gemel Glanaber. Ac yn yr ysgol roeddwn wedi gwneud ffrindie eraill: Iwan Ty'n Ffridd, y Sarne – Iw bach, a Tecwyn Coed-y-pry, Llanuwchllyn. Tec druan, a laddwyd yn hogyn ifanc mewn damwain moto-beic.

Doeddwn i ddim yn arbennig o ddisglair yn yr ysgol er imi gael neidio'r dosbarth cynta a mynd yn syth i'r ail, a hynny am 'mod i chwe wythnos yn hwyr yn dechre'r ysgol. Mi ges i godwm wrth chware ar un o gaeau'r Betws yn ystod gwylie'r haf ac aeth darn o wydr i mewn i 'nghoes a mynd yn ddrwg. Mi ges i benisilin, oedd yn rhywbeth eitha newydd bryd hynny, ond roedd gen i alergedd iddo, ac mi gymerodd y goes hydoedd i fendio. Dydi'r alergedd ddim wedi para ac mae pethe wedi newid, ond mi fydda i'n crybwyll hyn wrth y doctor bob tro y caf achos i gymryd unrhyw feddyginiaeth gwrthfiotig.

Cyfnod digon diflas oedd y chwe wythnos hynny, pawb o'm cyfoedion yn yr ysgol a finne adre'n diodde'n bur ddrwg. Ond mi fues i'n lwcus gan fod Dr Eddie, un o ddoctoried Cerrigydrudion, yn weddol ifanc ac mi fydde'n galw ar ei rownd ac yn gofyn oedd gen i awydd mynd efo fo. Mi ges i deithie diddorol iawn yn ei gwmni a dod i wybod am lawer o lefydd na wyddwn i ddim am eu bodoleth cyn hynny.

Na, doeddwn i ddim yn arbennig o ddisglair, er nad yn arbennig o ddwl chwaith, rhyw ganol y ffordd fel ar y cae pêl-droed a'r cae mabolgampe. Diffyg lle yn Nosbarth Un nid disgleirdeb olygodd y symud dosbarth cynnar yn fy hanes pan gyrhaeddes i, yn y diwedd, Ysgol Tŷ Tan Domen.

Dwi'n cofio rhai o'r athrawon yn dda: Harri Pugh, y prifathro; yr Hen Êl (Ellis Evans); John Saer, athro arbennig o dda; Jones *Chem*, gŵr bonheddig; James Nicholas, y bardd a'r archdderwydd enwog; Tecwyn Ellis, a ddaeth wedyn yn Gyfarwyddwr Addysg Gwynedd ac sy erbyn hyn wedi cyrredd ei naw deg oed, a Morgan, yr athro Saesneg. Dwi'n ei gofio fo'n iawn! Mi fydde bob amser yn cario pympsen efo fo, ac efo honno y bydde fo'n waldio pan oedd angen, neu pan oedd o'n teimlo bod angen!

Mi wydde pob un o'r athrawon ble roedd fy niddordeb i a be oeddwn i isio 'i neud ar ôl gadel ysgol tase modd 'sut yn y byd. Mi wydden nhw mai isio ffarmio oeddwn i tase gen i obeth mul o neud hynny, a dwi rioed yn cofio yr un ohonyn nhw'n ceisio 'narbwyllo i fel arall, neb yn yr ysgol nac yn y Betws chwaith, na neb o 'nheulu i. Mi wn i am amal i ffarmwr sy wedi perswadio ei blant i beidio â'i ddilyn, a dwi'n gresynu at hynny. Mae ffarmwr felly'n ei ddifrïo ei hun ac yn bychanu ei alwedigeth ei hun.

Beth bynnag am hynny, wrth fy modd yn yr ysgol neu ddim, isio ffarmio oeddwn i a dene pam y dywedes i hynny wrth Mam.

Doedd Mam ddim yn un i oedi. Mi aeth yn syth at Taid ac ailadrodd be oeddwn i wedi'i ddeud wrthi. Ond pa obeth oedd gen i? Doedd gan rieni Tŷ Newydd ddim modd i brynu'r ffarm, ac roedd yn rhaid i Taid gael arian at ei ymddeoliad. Pan glywodd o beth oedd fy nymuniad, fe gytunodd o ar unwaith efo Dad a Mam y dylswn i ar bob cyfri aros yn yr ysgol i sefyll yr arholiade. Ond aeth o ddim ymlaen efo trefniade gwerthu'r ffarm.

Mi wnes i aros i wynebu'r arholiade, a phasio'n dda mewn Cymraeg ac Agricultural Science, yn eitha da mewn Maths – Arithmetic yn enwedig, ond yn symol mewn

Daearyddiaeth a Hanes. Doeddwn i ddim yn foi Physics o gwbl, ac yn Sais gwaeth! Dene, yn fyr, fy nghredensials addysgol.

Wedi cael gwared ar yr arholiade mi symudodd pethe'n eitha cyflym, yn rhyfeddol o gyflym o edrych yn ôl. Mae'n rhaid mai wedi gosod Pen Brynie i bori roedd Taid a bod ganddo gytundeb hawdd ei ddwyn i ben. Mi gynigiodd y ffarm i mi ar rent i ddechre ac yna efo'r hawl i'w phrynu am £5,000. Mae o'n ymddangos yn bris isel heddiw, ond i hogyn ifanc efo rhieni nad oedd mewn swyddi bras iawn, roedd o'n ffortiwn.

Dwi'n cofio dau beth o'r cyfnod hwnnw'n glir iawn, ac mi ddigwyddodd y ddeubeth yn agos iawn i'w gilydd. I ddechre, Mam yn dod efo fi i'r banc i geisio cael benthyg arian, a gorfod esbonio wrth y rheolwr pam a beth oedd fy mwriad a hwnnw'n holi fel twrne. Canlyniad y cyfan oedd cytundeb i fynd i ddyled hyd at £500. Banc y Midland, Corwen, oedd y banc, ac yno rydw i byth, efo gorddrafft mwy nag erioed! Gan nad oeddwn i ond un ar bymtheg oed ar y pryd, bydde Mam yn gorfod arwyddo pob dogfen a siec ar y cyd efo fi, nes 'mod i'n un ar hugien oed – wel, nes imi briodi, a deud y gwir.

Yr ail ddigwyddiad oedd mynd efo Taid i'r farchnad anifeilied i Gorwen i brynu buwch odro. Taid yn gadel i mi fidio amdani, a Frank Owen, yr ocsiwnïar, yn llawn cydymdeimlad. Mor bwysig ydi arweiniad rhai hŷn i rywun ifanc, ac mor bwysig hefyd ydi rhoi cyfrifoldeb ar yr ifanc pan fydd yr oedolion yn dal yno i gynnig cyngor. Mi wn i am amal i fab ffarm na chafodd wneud yr un penderfyniad tra bod ei dad yn fyw, ac wedyn, wedi i hwnnw fynd, fydde fawr o syniad ganddo beth i'w neud, wrth fustachu ore medre fo ar ei ben ei hun.

Yr hyn wnes i efo gweddill yr arian oedd prynu ieir. Doedd ieir, na moch o ran hynny, ddim ymhlith fy hoff greaduried, ddim o'u cymharu â gwartheg a defed, ond roedd gwerthu wye i Dee Valley Eggs Llangollen, a fydde'n dod rownd bob wythnos, yn ffordd dda o gael arian parod. Hen waith annifyr ydi hel wye, yn enwedig wrth y dege a mwy annifyr fyth ydi gorfod eu golchi nhw. Ond roedd gen i gymorth parod i neud hynny, sef Mam a Margaret fy chwaer! A phan fydde gen i ddigon o arian mi fyddwn i'n prynu buwch arall. Mi fyddwn i'n gosod y tir yn y gaea ar gyfer defed cadw ac yn cael arian y ffordd honno hefyd.

Ond mae ieir yn greaduried bwyteig a does dim posib cael wye'n dod allan o un pen heb eich bod yn bwydo'r pen arall. Dene brif egwyddor ffarmio – a bywyd hefyd, debyg gen i! Yma eto mi fues i'n lwcus. Roedd Cwmni Amaethwyr Corwen, y Farmers Co-op, wedi'i ffurfio ac Eifion Jones – Eifion Co-op – oedd y rheolwr. Mi fu'n eithriadol o garedig efo fi, yn dallt fy amcanion ac yn cydymdeimlo. Roedd o'n sylweddoli bod pres yn brin.

'Tala di be fedri di,' medde fo, 'a gwna'n siŵr dy fod ti'n gallu prynu stoc. Wnei di ddim byd heb stoc.'

Mi adawodd i sawl bil fynd am ddau neu dri mis, weithie hyd yn oed bedwar mis heb ei dalu. Ac felly, o fuwch i fuwch, yn raddol mi dyfodd y stoc. Ac wrth i'r gwartheg gynyddu mewn nifer, lleihau wnaeth yr ieir.

Mi ddigwyddodd un peth pwysig arall yn ystod y cyfnod hwnnw. Mi ddaeth Dad a Mam a fy chwiorydd i fyw efo fi i Ben Brynie ac mi brynodd Taid a Nain Tŷ Newydd. 'Strêt swop' o dai mewn ffordd, yndê. Perthyn i stad y Rug oedd y tŷ pan aethon ni i fyw iddo fo gynta, ond yna mi werthodd y stad y tai, er mwyn talu treth marwoleth yn ôl y sôn, ac mi brynodd

Dad y tŷ am lai na mil o bunnoedd.

Er nad oeddwn i'n sylweddoli hynny ar y pryd, cas beth Taid oedd aros ar y ffarm ar ôl iddo fo ymddeol. Roedd peth felly yn dân ar ei groen o, ac o ganlyniad bu'r trefniant rhyngddo fo a Dad a Mam yn un da. Ar y pryd, doeddwn i ddim yn gallu amgyffred chwaith pa mor anodd oedd hi i Taid ollwng gafel ar y lle a diodde 'ngweld i'n gneud penderfyniade pan oedd o'n ysu am eu gneud nhw ei hun, ac yn ei chael hi'n anodd iawn i beidio – er y medra i ddeall hynny'n hollol erbyn rŵan. Ond pob clod iddo am fod mor gefnogol i bopeth a wnawn, er y gwelai ambell benderfyniad yn un digon rhyfedd, mae'n siŵr.

Y cam nesa yn y stori oedd prynu'r ffarm. Pum mil o bunnoedd oedd y pris ac allwn i ddim gwario fy arian ar ei phrynu gan fod pob ceiniog yn mynd i ychwanegu at y stoc. Cytunodd Taid i adel £2,000 ar y ffarm a finne'n talu pump y cant o log iddo fo ar y ddealltwrieth y byddwn i'n talu'r £2,000 pan fydde gen i'r modd. Roedd yn rhaid benthyg y £3,000 arall. A dene ymweliad arall, ymweliade'n wir, ag Aneirin O. Evans y twrne yn Ninbych. Roedd twrneiod bryd hynny hefyd yn gweithredu fel benthycwyr arian, ac yno y ces i'r £3,000.

Yn fuan iawn roeddwn i wedi llwyddo i dalu'r £2,000 i Taid a phan briodes i ag Ann mi symudodd Dad a Mam i Ruthun.

Yn 1954 mi ddeudes y baswn i'n licio ffarmio; erbyn 1960, roeddwn i'n briod, yn ffarmwr go iawn, yn berchen ar ffarm, ac yn gallu newid geirie'r gân a datgan: 'Mae fy nghartre 'Mhen y Bryniau...' Gwyn fy myd.

PENNOD 2

'Diolch am gael llais i ganu...'

Noson Eisteddfod Clybie Ffermwyr Ifanc Meirionnydd 1961 yn Nolgelle oedd hi a Neuadd Idris dan ei sang. Y llawr a'r galeri yn chwysfa dynn o ieuenctid y sir a stiwardied megis Iolo ab Eurfyl yn symud o gwmpas yn cadw trefn ac yn ei rhoi hi i ambell un go anystywallt. Finne'n cystadlu ar yr unawd agored ac, er nad ydw i'n licio canmol fy hun, yn tynnu'r lle i lawr am ryw reswm a bron yn cael encôr, a hynny mewn cystadleuaeth! Roedd o'n brofiad eiriasboeth.

Yna, rhyw hanner awr yn hwyrach mi dywalltwyd dŵr oer ar dân yr holl frwdfrydedd pan ddaeth y feirniadeth gan T J Williams, Maenan, Llanrwst – beirniad enwog iawn erbyn hyn, dyn oedd yn gwbod 'i bethe bryd hynny hefyd, a byth yn gneud cam â neb.

Yn y man daeth at fy enw i: 'Trebor. Y fo sy wedi llwyddo ore i'ch diddori chi heno.'

Hm, addawol, a phawb yn cymeradwyo.

'Ond dydi o ddim yn cael y wobr gynta.'

Aeth 'ne ochenaid drwy'r dorf, neu dim ond yn fy nychymyg neu fy mynwes i oedd hi?

'Na, dydi o ddim wedi canu'n gywir, dech chi'n gweld. Doedd pob nodyn ddim yn 'i le. Roedd o'n cymryd gormod o ryddid efo'r amser, a chafodd y daliadau i gyd ddim eu dal i'r pen. Rhaid ei gosbi am hynny.'

Ail ges i'r noson honno a sylweddoli bod gwahanieth mawr rhwng diddanu torf a phlesio beirniad, rhwng canu mewn cystadleuaeth eisteddfodol a chanu mewn cyngerdd. A dene pryd yr heuwyd hedyn fy mhenderfyniad i roi'r gore i grwydro steddfode, er na wnes i hynny ar unwaith, a chanolbwyntio ar ganu er diddanwch, gan berfformio mewn cyngherdde a nosweithie llawen a chyfarfodydd cymdeithasol, a chyfyngu'r cystadlu yn y diwedd i raglenni fel *Sêr y Siroedd* a *Dewch i'r Llwyfan* – cystadleuthe nad oedd yn gofyn am gywirdeb perffeth o safbwynt amser na dilyn marcie copi.

Roedd noson Eisteddfod y Clybie yn rhyw

fath o drobwynt a geirie T J Williams fu'r sbardun i newid cyfeiriad. Ac yn y man drwy'r cystadleuthe radio mi ddois i sylw Dafydd Iwan ac mae'r gweddill, fel maen nhw'n deud, yn hanes.

Ond eto i gyd, bu'r daith o'r adeg pan oeddwn i'n canu efo Taid a'r teulu rownd y piano ym Mhen Brynie i'r diwrnod pan es i i'r stiwdio i recordio fy record gyntaf yn daith hir, hir iawn.

Gan i mi ganu cymaint am Betws Gwerful Goch gwell ceisio esbonio lle yn union mae o. Dydi o ddim ar y briffordd, ond mi roedd o, ar un adeg, ar y ffordd o'r Bala drosodd i Ruthun ac ymlaen i Dreffynnon – heol bwysig iawn yn ei dydd. Y ffordd ore i'w gyrredd ydi teithio ar yr A5 a throi wrth dafarn y Cymro neu'r Goat sy ryw dair milltir y tu allan i Gorwen i gyfeiriad Cerrigydrudion. O'r tro hwnnw, rhyw gwta filltir a hanner sydd yna nes dod i'r Betws, pentref ar lan afon Alwen, sy'n llifo o ucheldir Hiraethog ac yn cyfarfod ag afon Dyfrdwy ger Llangar, rhwng Cynwyd a Chorwen.

Mi anfarwolwyd yr afon yn y gân 'Alwen Hoff' a geirie R H Jones, Caer Ddunod, gŵr a dreuliodd y rhan fwya o'i oes ar lannau Mersi ac a ganodd am ei hireth am ei fro:

Rhedaf atat unwaith eto
Alwen hoff.
Mwyn yw rhodio ar dy lennydd
Eistedd wrth dy lynnau llonydd,
Bron na wylwn o lawenydd,
Alwen hoff.

Dydi'r gân yma, er ei bod yn lleol ei chysylltiade, erioed wedi bod yn rhan o fy rhaglen o ganeuon mewn cyngherdde. Wn i ddim pam – am nad oes arna i hireth am yr Alwen, debyg, a finne'n byw bron ar ei glan!

Mae llawer un yn tybio i'r afon gael ei henwi ar ôl rhyw ferch o'r enw Alwen, ond fel arall mae hi, mewn gwirionedd. Merched sy wedi'u henwi ar ôl yr afon. Yn ôl Melville Richards, yr awdurdod ar enwe lleoedd, tarddiad yr enw yw 'al', sy'n golygu tyfu neu feithrin, fel mae afon yn lledu ac yn dyfnhau wrth lifo, a'r ansoddair 'gwen', ac wrth gwrs gwyn yw lliw dŵr sy'n llifo'n gyflym fel y mae'r Alwen gan ei bod yn disgyn o'r ucheldir i lawr i ddyffryn Dyfrdwy.

O groesi'r bont dros yr Alwen a dilyn y ffordd drwy'r pentre, mi ddown, o fewn cwta ddwy filltir arall, i Felin-y-wig, pentre a anfarwolwyd gan y rhigwm am y plentyn a gipiodd ei gap pan welodd falwen ar y bwrdd.

Felly, fel mewn dege o ardaloedd tebyg, pentref bychan yng nghanol y wlad oedd ac yw'r Betws – Betws Gwerful Goch, a rhoi iddo'i enw llawn. Ystyr betws ydi tŷ gweddi neu dŷ anwes, a'r gred ydi mai tŷ gweddi Gwerful, merch bengoch Cynan fab Owain Gwynedd oedd wedi'i leoli yma. Roedd hi felly o dras frenhinol, yn ferch i dywysog ac yn wyres i Owain Gwynedd, ac yn byw yn y ddeuddegfed ganrif. Fe'i claddwyd yn Ninmael, pentre ar yr A5, rhyw ddwy filltir o'r Betws. Mae hanes y pentre yn mynd yn ôl ymhell felly a chamgymeriad ydi sgrifennu 'Gwerfil' neu 'Gwerfyl' er mai dene geir gan amla ar arwyddion. Ond gwarth mwy o lawer yw galw'r lle yn Betws G. G. fel pe na bai'n enwog ond am geffyl, er ei fod, rhaid cyfadde'r gwir, wedi'i sgrifennu felly ar o leia un o'r cerrig beddi sy'n perthyn i ni fel teulu.

Ond prin bod ystyriaethe hanesyddol fel hyn yn llenwi bryd yr un ohonon ni blant wrth i ni chware'n llawen a dibryder o gwmpas y pentre ar fin nos. Roedd fy mhlentyndod yn gyfuniad o fywyd pentre'r Betws a bywyd cefn gwlad Pen Brynie, o chware a chanu, o gicio pêl a godro buwch, o ysgol a chapel, o giang o hogie a Band o' Hôp.

Gan 'mod i'n byw yn Nhŷ Newydd roeddwn i'n un o blant y pentref, ond gan 'mod i'n treulio cymaint o fy amser ym Mhen Brynie, bob penwythnos a phob gwylie, roeddwn i'n cyfri fy hun yn un o blant y wlad hefyd. Ac mae 'ne wahanieth, wel, roedd 'ne wahanieth bryd hynny beth bynnag; roedd plant y pentre yn llawer mwy hyderus am eu bod yn byw fwy yng nghanol pobol, mae'n debyg, tra bod plant y wlad ar y llaw arall yn llawer mwy swil ymysg pobol – ond nid ymysg anifeilied. Mi fydde plant y pentre'n edliw wrth blant y wlad eu diffyg menter a'u diniweidrwydd, ond mi allen nhw dalu'r pwyth yn ôl drwy gael hwyl am ben plant y pentre wrth weld eu harswyd o deirw a gwartheg a bustych ifanc yn enwedig adeg y troi allan yn y gwanwyn, pan fyddai'r anifeilied yn prancio'n wyllt wirion ar y llethrau, fel ŵyn bach bron, yn mwynhau eu rhyddid wedi caethiwed hir y gaeaf.

Yn ystod yr wythnos, un o blant y pentre oeddwn i, yn rhedeg i lawr i'r llan ar ôl te i chware efo'r plant eraill – efo'r bechgyn wrth gwrs, nid y merched. Weithie roedd hi'n bêl-droed, dro arall chware yn yr Alwen, dro arall 'noc dôrs' a gêmau rhyfygu diniwed plant pentre. Yng nghanol y tai roedd Ifans y gof yn byw – dyn bychan gwyllt oedd o. Mi ŵyr y rhai fu'n chware 'noc dôrs' nad oes dim hwyl mewn curo ar ddryse tai pobol nad yden nhw'n cynhyrfu dim, ac roedd y rhan fwya o bobol y Betws yn ddigon call i'n hanwybyddu ac felly'n sbwylio'n hwyl. Ond nid felly Mr Ifans. Mi fydde fo'n gwylltio'n gacwn ac yn dod ar ein hole gan chwythu bygythion a'i gaddo hi inni. Dene pam yr aethom ati, fwy nag unwaith, i rwymo'r gliced cyn curo fel na alle fo agor y drws i'n hymlid. Dewi, sef Dew Bach, Gemel a fi oedd y ffrindie, a Dew Bach oedd yr un drwg. Wel, fo fydde'n cael y bai bob amser, beth bynnag!

Mae 'ne draddodiad yn y Betws fod modd, cyn i'r ffinie newid, taflu carreg o'r fynwent, sydd ym mhlwy'r Betws, i un o dri phlwy arall oedd yn ffinio â'r ardal – plwyfi Corwen, Gwyddelwern a Llanfihangel Glyn Myfyr. Wrth ystyried, mae'n beth da, mae'n siŵr, na wydden ni blant ddim am y peth bryd hynny neu mi fase cerrig o'r fynwent yn drybowndian o gwmpas y llan bob nos!

Pan fydde hi'n amser mynd adre, doedd rhaid i Mam neud dim ond dod allan o'r tŷ, sefyll ar ganol y ffordd a gweiddi fy enw. Rhaid bod ganddi lais da, gan y medrwn ei chlywed yn glir fel cloch. Yn ôl Margaret, fy chwaer, mi fyddwn i'n rhoi'r gore i beth bynnag roeddwn i'n ei neud, ac yn ufudd ofnadwy, yn ei gwadnu hi am adre gynted ag y clywn i'r alwad. Doedd hynny ddim yn wir amdani hi na Gweneurys; roedd yn rhaid galw sawl gwaith i'w denu nhw adre. Roeddwn i, yn ôl fy chwaer, yn dipyn o 'gwdi gwdi', neu beth bynnag oedd yr enw a gâi ei roi arnaf ar y pryd!

Ond drwy wead fy mhlentyndod roedd canu fel edefyn aur. Roedd canu ym mhobman; gartre, ym Mhen Brynie, yn yr ysgol, yn y capel, yr ysgol Sul a'r Band o' Hôp, efo parti'r teulu, efo parti Min yr Alwen ac efo parti'r Aelwyd. Canu oedd prif weithgarwch y Band o' Hôp, er bod yno, mae'n siŵr, gynnal gwasanaeth a phregethu am beryglon y ddiod. Ond y canu a gofiaf fi, ac mi gofiaf hefyd fod Anti Lora Tan y Boncyn yn un o'r rhai oedd yn ein dysgu. Un dda efo plant oedd hi ac mae'n byw bellach yng Nghartref Cysgod y Gaer yng Nghorwen. Mor fawr yw dyled cenedlaethe o blant iddi hi a'i thebyg.

Roedd ysgol Sul gref iawn yn y capel, Capel y Gro, ac Aelwyn Dolgynlas a Gwynfryn Maes Cadw oedd fy ffrindie i yno. Dwi'n cofio bod arholiade'n bwysig iawn. Arholiad ysgrifenedig oedd yr Arholiad Sirol a'r Arholiad Dosbarth yn un llafar – a mi fydde'n rhaid i ni ddysgu emynau ac adnodau. O ganlyniad i'r arfer hwn pan oeddwn yn blentyn, daeth dysgu geirie caneuon yn fater gweddol hawdd i mi, er 'mod i weithie'n methu, debyg iawn. Wrth ganu encôr y bydd hynny'n digwydd gan amlaf, ac mae'r broblem wedi gwaethygu wrth imi heneiddio.

Pan fydda i'n perfformio, mi fydda i, cyn mynd ar y llwyfan, yn cilio i ryw gornel i fynd dros y geirie yn fy meddwl. Dwi ddim yn licio cael fy styrbio bryd hynny. Os caf i fynd drostyn nhw cyn canu, mi fydda i'n iawn wedyn. Ond, weithie, mae gofyn am encôr, ac am gân nad ydw i wedi bod drosti yn fy meddwl, a bryd hynny mi all unrhyw beth ddigwydd! Dwi wedi trio cyfansoddi geirie lawer gwaith ar y llwyfan, ond ma honno'n goblyn o job, a gan amla mae'r gynulleidfa wedi dallt 'mod i wedi anghofio bron cyn i mi sylweddoli hynny, ac yn amal maen nhw'n gwybod y geirie!

Roedd fy nhaid yn flaenor ac yn godwr canu yn y Gro, ac ar y Sul, fel roedd pethe bryd hynny, châi ddim gwaith ei neud ym Mhen Brynie, dim ond yr hyn fydde'n rhaid ei neud, sef bwydo a godro. Doedd fiw gneud dim byd arall. Mor wahanol mae pethe erbyn heddiw. Dwi'n cofio fwy nag unwaith cario ŷd yng ngole'r lleuad ar nos Sul, ac er na fydde Taid ddim yn aros tan ar ôl hanner nos, mi wyddwn am rai fydde'n gneud hynny hyd yn oed. Roedd lleuad naw nos ole'n gaffaeliad mawr i ffarmwrs yr adeg honno.

Roedd y cynhaeaf ŷd yn gynhaeaf pwysig iawn, er mwyn cael porthiant i'r anifeilied dros y gaeaf gan nad oedd gwair yn ddigon, yn enwedig i geffyle. Ac roedd o'n bwysig i mi hefyd gan ei fod yn gyfle i ddal cwningod – busnes mawr bryd hynny. Byddwn yn eu gwerthu i Dei'r Castell, Llandegla, a fydde'n dod rownd efo'i fan, a honno'n drwmlwythog o gwningod, ddwywaith yr wythnos.

Na, er pwysiced y cynhaeaf, doedd 'ne ddim gweithio ar y Sul. Diwrnod capel oedd o drwy'r dydd: oedfa, ysgol Sul a chyfarfod gweddi. Mi awn i'r capel fore Sul, weithie yng nghwmni plant Maes Cadw, Eddie a Gwynfryn, ac weithie yn Rover Taid. Yn amlach na pheidio, yn y nos y bydde'r bregeth, ac mi fydde Taid a Nain bob amser yn dod i Tŷ Newydd i swper ar ôl yr oedfa. Roeddwn i'n edrych ymlaen at yr adege hynny ac roedd o'n glo arbennig i bob penwythnos.

Taid Pen Brynie oedd o i mi wrth gwrs, ond nid ym Mhen Brynie y'i magwyd o. Un o Afonwen ar arfordir Sir y Fflint oedd o, yn un o naw o blant. Ardal eitha Seisnigedig oedd ardal ei fagwreth, ond roedd o'n Gymro perffeth, ei Saesneg yn dda hefyd a'i lawysgrifen yn werth ei gweld. Mi brynodd ei dad a'i fam ffarm ym Melin-y-wig – Clegir Uchaf, ac mi ddaeth y teulu yno i fyw. Cartre Nain oedd Pen Brynie ac felly priodi i mewn i'r teulu wnaeth o. Priodi gwraig a chael ffarm, nid y cynta na'r ola i neud hynny!

Roedd fy hen nain wedi priodi ddwywaith. Mi saethwyd ei gŵr cynta drwy ddamwain – criw yn mynd allan i saethu ac wrth ddringo dros giât, heb wneud y gwn yn saff, mi daniodd ar ddamwain a bu ynte farw. Bu'n rhaid i fy hen nain gael rhywun i ffarmio ar ôl marwoleth ei gŵr, ac felly daeth Morris Jones i'r ffarm. Fe'i priododd yn ddiweddarach ac un o blant y briodas honno oedd Nain Pen Brynie.

Yno y bydde'r rhan fwya o'r canu'n digwydd, a deuai teulu Pencraig draw yn amal i ymuno yn y pyncio rownd y piano. Mi fydde pawb wrthi heblaw Nain – doedd hi ddim yn gantores. Eistedd wrth y tân yn gwau neu yn crosio y bydde hi, a gwrando wrth gwrs. Doedd hi ddim yn ddarllenwraig fawr chwaith; Taid oedd y darllenwr. Ym Mhen Brynie y bydde'r drilio a'r dysgu yn digwydd, wrth gwrs, ac mi fydde'r capel, yr ysgol Sul a'r Band o' Hôp yn cynnig cyfle i berfformio.

Roedd Taid yn ddisgyblwr llym pan fydde fo wrthi'n ein trênio. Gwnâi i Ann, fy chwaer, grio'n amal wrth geisio'i chael i agor ei cheg wrth ganu. Ei gas beth oedd unawdwyr yn geirio'n wael. Doedd dim pwrpas canu o gwbwl, medde fo, oni bai fod pawb yn deall y geirie. Mi fu hynny'n wers bwysig iawn i mi, a dwi'n gobeithio, beth bynnag arall y gellir ei ddeud am fy nghanu, na all neb ddeud nad yden nhw'n dallt pob gair. Ac i Taid mae'r diolch am hynny.

Rhaid bod ganddo ddylanwad mawr arna i. Fy hoff gantorion hyd yn oed heddiw ydi'r rhai sy'n geirio'n glir – Gwyn Hughes Jones, Rhys Meirion, Bryn Terfel, Siân Cothi, Bethan Dudley, Marian Roberts, Katherine Jenkins, ie, a Pavarotti hefyd.

'Dallt y geirie!' mi clywa i chi'n deud. 'Dallt y geirie mae Pavarotti yn eu canu a fynte wrthi mewn Eidaleg?'

'Ia, dallt y geirie, nid dallt yr iaith, mae 'ne wahanieth! Dwi'n dallt pob gair pan mae Bryn Terfel yn canu mewn Almaeneg hyd yn oed, ond dydw i'm yn dallt yr iaith.'

Roedd gan fy nhaid glust fain ryfeddol i fiwisg, ond nid y fi a'i hetifeddodd, ond Gweneurys fy chwaer. Ers pan oedd hi'n ifanc iawn gallai chware'r piano. Mi gafodd wersi gan Yncyl Harri Penllan fel pawb o blant y Betws, fel y cefais i hefyd, ond doedd gen i fawr o ddiléit ac mi rois i'r gore iddi'n weddol sydyn.

Ond mi ddaliodd Gweneurys ati, efo Yncyl Harri ac wedyn efo Christmas Evans yng Nghorwen. Fo oedd yr athro piano sbesial yn y cylch bryd hynny, postmon yn y bore ac athro piano yn ystod gweddill y dydd. Y stafell i fyny'r grisiau yn ei dŷ, Cartrefle, ar gyfer garej Crosville yng Nghorwen, oedd ei stafell ddysgu.

Ond prin bod Gweneurys angen gwersi o gwbwl, er iddi basio'r arholiade i gyd, gan fod ganddi glust a alle godi tôn o'i chlywed ddim ond unwaith yn unig. Aeth i Eisteddfod Llangollen a chlywodd gôr enwog Obernkirchen yn canu yr 'Happy Wanderer'. Mi ddaeth adre a'i chware bob nodyn ar y piano.

Yn fuan iawn yn hanes y canu ym Mhen Brynie, yn y capel ac mewn partïon, roedd hi yn anhepgorol. Mi fu'n cyfeilio i mi am flynyddoedd a dibynnwn yn drwm arni. Mewn ambell i le mi fydde traw'r piano'n uchel, yn rhy uchel i mi allu cyrredd y node ac mi fydde hi'n addasu'r traw. Mewn lle arall mi fydde traw'r piano'n isel a bydde hi'n llwyddo i gyfeilio mewn cyweirnod uwch. Roedd ganddi'r glust i wybod oedd piano yn ei draw cywir ai peidio, a'r gallu i addasu ei chware yn ôl y gofyn.

Canlyniad y canu a'r ymarfer ym Mhen Brynie fu creu parti – parti teuluol a âi o gwmpas cymdeithase capeli'r ardal a thu hwnt. 'Nhad oedd yn arwain ac yn adrodd –adrodd darne difrifol fydde'n ei wneud yn hytrach na rhai doniol gan mwyaf. Mi fydde ganddo fo straeon hefyd rhwng yr eiteme ac wedyn mi fyddwn i a fy chwiorydd, Margaret ac Ann, yn canu, a Gweneurys yn cyfeilio. Mi fydde Margaret a fi'n canu deuawde a Taid yn canu unawd neu ddwy. Bariton oedd o ac roedd ganddo lais da. Roedd gan Dad lais bas da hefyd ac er na fu o erioed yn unawdydd, canodd mewn pedwarawde lawer gwaith. Ond pan aeth o i fyw i Ddinbych ymunodd â Chôr Trelawnyd. Nid o un ochr i'r teulu'n unig y daeth y gynhysgeth gerddorol felly.

Mi fu'r parti mewn bodolaeth am flynyddoedd ac roedd 'ne alw mawr am bartïon o'r fath i gynnal nosweithie mewn cymeithase lleol, yn arbennig cymdeithase capel.

Plant bach oedden ni pan grëwyd y parti, ac mae'n debyg nad oedden ni'n mynd allan yn amal iawn, nac yn teithio ymhell, ond wrth i ni dyfu, roedd y galwade'n amlhau, a'r lleoliade yn ymbellhau.

Yn ddiweddarach, flynyddoedd yn ddiweddarach a deud y gwir, mi fyddwn i'n canu deuawd efo Taid, sef 'Y Ddau Wladgarwr', a hynny ym mharti meibion Min yr Alwen. Roeddwn i'n denor erbyn hynny, a newidies o fod yn soprano i fod yn denor bron heb i fawr

neb sylwi. Dydw i ddim yn cofio'r cyfnod pan
dorrodd y llais, na'r cyfnod o beidio canu a'r
dyfalu fyddwn i'n medru canu ai peidio pan
fydde fo wedi sadio, a be fyddwn i – ai tenor,
neu fariton, neu fas? Yn rhyfedd iawn does
dim posib deud, oherwydd gall y soprano
ifanc ddisgleiria fethu canu pan fydd wedi
tyfu'n hŷn, neu gall y bachgen â'r llais ucha
ddatblygu i fod yn faswr. Pwy fydde wedi
meddwl mai bariton, bariton meddal mae'n
wir, fydde Aled Jones o'i glywed yn canu pan
oedd o'n ifanc. Ond cyfnewidiad naturiol,
heb i neb sylwi arno bron, oedd y newid yn
fy llais i.

Mi fydden ni, ym mharti'r teulu, yn canu
caneuon gwerin a cherdd dant – fe gaem y
cerdd dant gan Dafydd Evans, y Brithdir,
tad Margaret Edwards, arweinydd Côr Bro
Gwerful, a gosodiade o waith Haydn Morris
ac o lyfre megis *Y Patrwm*. Roedd Dafydd
Evans yn ganwr da hefyd ac yn cystadlu
llawer ar ddeuawde cerdd dant efo William
Evans, ei frawd, tad Beryl Lloyd Roberts,
arweinydd Côr Dinbych a chôr Pwllglas cyn
hynny. Roedd teuluoedd cerddorol iawn yn
y Betws bryd hynny ac mi adawon nhw eu
marc ar gerddorieth a chanu corawl, ac mae

eu disgynyddion yn dal i neud hynny o hyd.

Un o'r lleoedd yr aeth y parti iddo i gynnal noson oedd i'r capel yn Betws-yn-Rhos, ac Ann, fy ngwraig ers llawer blwyddyn erbyn hyn, oedd yr ysgrifenyddes. Mae cerddorieth wedi dwyn llawer o bobol at ei gilydd erioed, ac mae'n dal i neud hynny!

Roedd y ffaith bod mwy nag un parti yno'n brawf bod Betws yn lle cerddorol. Yno roedd Aelwyd yr Urdd gref iawn a Trefor Jones, y prifathro, yn ei harwain. Parti cymysg oedd parti'r Aelwyd ac roedd teulu Vaughan Evans yn amlwg iawn ynddo, sef Penri, Robin, Freda, Dilys, Ifora ac ambell un arall hefyd – teulu mawr a theulu anhygoel o ran eu donie cerddorol. Ac mi ges i fynd efo nhw sawl tro i gynnal cyngherdde, mynd fel soprano i ganu unawde. Dwi'n cofio unwaith mynd cyn belled â Blackpool, a'r lle fel pen draw'r byd i hogyn bach bryd hynny. Ond doeddwn i ddim yn ymwybodol o ddeniade'r lle hwnnw ar y pryd! Wedyn yn ddiweddarach, mi sefydlwyd parti Min yr Alwen, parti meibion oedd hwnnw ac mi fûm yn canu efo nhw hefyd. Dafydd Evans oedd yn arwain y parti ac roedd Taid yn canu bas ynddo fo.

Ond os mai Taid oedd dyn y parti a'r trênio, Mam oedd dynes y steddfode. Ac mi fydde'n mynd â fi a'm chwiorydd am flynyddoedd: Y Gro, Melin-y-wig, Llanfihangel, Nebo Llanrwst, Clawddnewydd, Graigfechan, Derwen, Gwyddelwern, Pentrecelyn, Llanrhaeadr, Saron, a Gŵyl Ieuenctid MC Dosbarth Cerrigydrudion, dene'r rhai oedd ar y gylchdaith fel petai, a'r cyfan o fewn pellter rhesymol i'r Betws – er, mi fentrodd fynd â ni unwaith neu ddwy cyn belled â Dinas Mawddwy.

Mi fyddwn i'n cystadlu ar yr unawd, yr unawd cerdd dant, ac os bydde cystadleuaeth, ar yr alaw werin hefyd. Byddwn yn canu deuawd efo Margaret, ac mi fydde Gweneurys ar dro yn cystadlu ar yr unawd piano. Wnes i erioed gystadlu ar yr adrodd, ond roedd Margaret yn gystadleuydd selog. Beth wnâi steddfode Cymru heb fame brwdfrydig? Mi fydden nhw wedi peidio â bod erstalwm.

Roedd yr uned deuluol yn gweithio'n werth chweil – Taid yn dysgu a thrênio, a Mam yn mynd â ni i'r steddfode. Fydde Mam ddim yn gallu hyfforddi yr un fath â Taid, a fydde fo ddim yn gallu mynd rownd y steddfode oherwydd y gwaith ar y ffarm.

Doedd 'ne fawr o groesdynnu pan oedd isio mynd i steddfod ar wahân i ambell steddfod ar Sadwrn pan fydde Pen Brynie yn galw, a thynfa ddwyffordd yn fy rhwygo. Roedd peth rhwygo pan ddaeth y teledu i'r Betws hefyd, ac roedd hwnnw'n ddigwyddiad mawr.

Cyn cael teledu roedd yn rhaid cael trydan, a chan mai Glanaber, sef y siop yng nghanol y pentre oedd y lle cynta i'w dderbyn pan ddaeth llinell MANWEB i'r fro, Glanaber hefyd oedd y lle cynta i gael set deledu. Ac wrth lwc un o fy ffrindie i oedd Gemel, Glanaber, ac felly roeddwn i a'i ffrindie eraill o'n cael mynd i Lanaber ar fin nos i wylio'r rhyfeddod newydd.

Wel, i griw o blant y wlad roedd y peth yn anhygoel, yn enwedig gan nad oedd 'ne fawr o fynd i'r pictiwrs o'r Betws am fod Rhuthun a Chorwen mor bell! Felly mi ddaeth byd a bywyd newydd sbon i'r ardal, byd cowbois ac Indians, byd reslo a bocsio a phêl-doed. Nath o ddim amharu cymaint â hynny ar ein bywyd pentrefol chwaith, yn wir mi roddodd syniade newydd i ni, ac mi fydde caeau'r Betws yn amal yn troi yn baith lle bydde'r Indiaid yn llechu neu gowbois yn marchogeth, ac mi fabwysiadwyd gennym enwe rhai o chwaraewyr a thime mawr y cynghrair pêl-droed pan fydden ni'n chware ein gêmau bach cystadleuol ni yn y cae wrth yr ysgol.

Dwi wedi bod yn wrandäwr a gwyliwr byth er hynny. Mae Radio Cymru ymlaen bob amser – yn y car, yn y landrofer, ar y tractor, yn y llofft, ar wahân i'r adeg pan fydd 'ne bêl-droed a hwnnw ddim ar y radio. Mae'r plant hefyd yn wrandawyr cyson. Dwi'n hoffi'r teledu hefyd, pan fydd amser i'w wylio, ond dydw i ddim yn gaeth iddo fo. Pan oedd reslo'n boblogaidd ar y teledu roeddwn i'n ffan mawr, ac mae 'na lun ohono i ar gael yn sefyll rhwng dau reslwr cydnerth – Orig Williams ydi un, a minne'n edrych fel corrach wrth ymyl y ddau. Erbyn hyn mae *Cefn Gwlad* a *Ffermio* yn naturiol ymhlith fy ffefrynne, fel mae *Pobol y Cwm*, *Panorama*, unrhyw gêm gwis, rhaglenni newyddion a *Newsnight*.

Dwi'n hynod o siomedig, yn flin yn wir, fod S4C wedi rhoi'r gore i gynhyrchu rhaglenni *Noson Lawen* ac yn bodloni bellach ar ailddangos rhanne o nosweithie a fu yn y gorffennol. Roedd hi'n un o'r rhaglenni gore gen i, ac yn ei lle mi gawn gyfresi megis *Caerdydd* sy'n dangos ei thrigolion ifanc yn byw eu bywyde gwag, disylwedd ac artiffisial. Does dim cymharieth rhwng y ddwy raglen.

Na, dydw i ddim yn gaeth i'r teledu, ond ar ôl cyrredd adre, yn hwyr y nos weithie, mae'n braf cael troi'r swits ymlaen, gorweddian ar y soffa a... chysgu!

Mae bywyd wastad wedi bod yn fater o gael y cydbwysedd iawn, ac roedd yn rhaid i minne feithrin y gallu hwnnw i gael cydbwysedd rhwng gwaith ar y ffarm a gwaith ysgol, rhwng chware a gwylio'r teledu, rhwng capel ac eisteddfod, ac mae'n siŵr bod Mam a Dad, Mam yn enwedig, yn ffactor bwysig ym mhob penderfyniad.

Yr elfen gystadleuol gref sy yno' i wnaeth imi ddal ati i fynychu steddfode mae'n siŵr, hyd yn oed ar ôl yr eisteddfod dyngedfennol yn Nolgelle a geirie T J Williams. Roeddwn i'n gystadleuydd brwd ymhell wedi'r dyddie hynny o fynd yng nghwmni Mam. Roedd steddfode'n llefydd da i gyfarfod â merched, er nad mewn steddfod y cwrddes i â'r wraig.

Mae tair eisteddfod yn aros yn y cof, un ydi Eisteddfod Genedlaethol yr Urdd yn

Rhydaman yn 1957 pan oeddwn i'n ddwy ar bymtheg oed ac yn cystadlu ar yr unawd. Roeddwn i wedi ennill yn y cylch a'r sir a rhaid oedd mynd i'r genedlaethol, lle cefais i ail. Yr enillydd, gyda llaw, oedd Manod Rees o Dregaron a John Jones o Lanbryn-mair yn drydydd, gyda T Haydn Thomas a D J Davies yn feirniaid. Ond nid oherwydd y cystadlu y cofia i'r eisteddfod honno. Roeddwn i newydd basio 'mhrawf gyrru ac roedd gen i fan – fan Morris Minor a honno ymhell o fod yn newydd, ond ynddi hi y mentres i i'r eisteddfod yng nghwmni fy ffrind, Maldwyn Morris, Ty'n Ddôl. Wydden ni ddim ble roedd Rhydaman a doedd gynnon ni nunlle i aros. Doedd dim amdani ond cysgu yn y fan a dene wnaethon ni, mynd i lawr ar y dydd Iau ac yn ôl nos Wener.

Mi aeth Maldwyn a fi i chwilio am frecwast fore Gwener a landio mewn caffi. Pan ddaeth y ddynes aton ni dyma hi'n gofyn: 'Ych chi'n moyn wî?' 'Na,' medden ni, 'den ni wedi bod yn y toilet cyn dod yma.' Ydi, mae hi wedi cael ei deud lawer gwaith, ond mi ddigwyddodd i ni. Gair arall oedd yn rhoi trafferth i mi bryd hynny oedd y gair sboner. A finne'n licio ffidlan tipyn efo offer ffarm, mi fues i'n hir iawn yn dallt mai cariad oedd ystyr y gair yn y de.

Dwi ddim yn licio meddwl erbyn hyn sut olwg oedd ar fy siwt pan ymddangoses i yn y gystadleueth ar ôl cysgu'r nos mewn fan. Un peth oedd rhagbraw, mater arall oedd y llwyfan mawr ei hun. A finne erbyn hyn mor ofalus sut dwi'n edrych ar lwyfan! Diolch nad oedd teledu digidol ar gael bryd hynny.

Yr ail eisteddfod sy'n fyw yn y cof ydi Eisteddfod Dyffryn Elwy, Llanfair Talhaiarn, ym Mehefin 1959. Mi enilles ar yr unawd a chael canmolieth un o feirniaid amlwg y cyfnod hwnnw, sef Dr Leslie Wyn Evans, Caerdydd. Mi ddwedodd fod gen i lais euraid, ond yr hyn dwi'n ei gofio ydi'r pennawd yn y *Daily Post* ar y dydd Llun canlynol: 'The boy with the golden voice.'

A'r drydedd eisteddfod ydi'r un – eto yn Llanfair Talhaiarn – ym Mehefin 1962 a hynny am mai dyma'r un ola imi gystadlu ynddi cyn canolbwyntio ar gyngerdde, rhaglenni radio a theledu, ac wedyn ar recordie. Enillydd y gader, gyda llaw, oedd bachgen ysgol dwy ar bymtheg oed o'r Sarne o'r enw Gerallt Lloyd Owen. Ond yr unawd dan bump ar hugien oedd fy nghystadleueth i a Gwyneth Palmer oedd y beirniad. Roedd saith yn cystadlu am y cwpan ac fel hyn y cofnodwyd yr achlysur yn y *Daily Post*:

'Miss Gwyneth Palmer, of Bala, one of the music adjudicators, said it was one of the best contests she had ever listened to. Of the winner, farm worker Trebor Evans, aged 22 of Betws G.G. near Corwen, Miss Palmer said he had a voice of outstanding quality and had given a superb rendering...'

Trebor Evans wir! A farm worker nid ffarmwr. Twt twt!

Wrth sôn am gyfnod y cystadlu, diddorol hefyd ydi sylwi ar restr enwe'r beirniaid gafodd y fraint amheus o wrando arna i'n canu tua diwedd fy ngyrfa eisteddfodol: Meredith Jones, Tal-y-bont; J Morgan Nicholas, Caerdydd; Mrs Bryn Williams, Gyffylliog; T Gwynn Jones, Llanfairfechan (Gwyn Tregarth); Meirion Williams, Llundain; Peleg Williams, Caernarfon; Gwyneth Palmer, y Bala; Garrison Williams, Chwilog; W Mathews Williams, Bae Colwyn; David Williams, Coedpoeth; Dan Jones, Pontypridd. Mae cewri yn y fan yna on'd oes, a'r syndod yw eu bod, lawer ohonyn nhw, yn teithio mor bell i steddfode y bydden ni'n eu cyfri yn steddfode bach.

Diddorol hefyd ydi sylwi y câi bob llythyren ac anrhydedd a fydde'n perthyn iddynt eu rhestru yn y rhestr testunau, felly roedd Mathews Williams yn W. Mathews Williams, M.A., F.R.C.O. a Gwyneth Palmer yn Miss Gwyneth Palmer, J.P., L.R.A.M., L.G.C.M. – fel tase bod yn JP yn gymhwyster i feirniadu canu! Wel, falle 'i fod o, gan fod disgwyl i aelode'r fainc weinyddu cyfiawnder, er nad yw 'mhrofiad i wrth ddelio efo'r gyfreth wedi fy arwain i gredu bod hynny'n wir bob amser!

Yn y 60au cynnar a minne erbyn hynny'n ddwy ar hugien oed ac yn briod, mi arafodd y cystadlu eisteddfodol yn arw; mi enilles sylw yng nghyfres rhaglenni *Sêr y Siroedd* a chael llawer o alwade i ganu ar gorn hynny. Ac yna, ar ddechre'r 70au, mewn gwirionedd, dod i'r rownd derfynol yn y gyfres *Dewch i'r Llwyfan*.

Cyfres radio oedd *Dewch i'r Llwyfan* a syniad Gwyn Williams – Gwyn Bangor – oedd hi; fo oedd yn cynhyrchu. Rhoi cyfle i ddonie lleol berfformio oedd y syniad a deuai pob rhaglen o wahanol ganolfanne ledled Cymru. Yna mi fydde'r gwrandawyr yn pleidleisio ac enillydd pob rhaglen yn mynd ymlaen i'r rownd derfynol.

Mi enilles i ar y rhaglen a recordiwyd yn Nolgelle ac ymddangos felly yn un o bump yn y rhaglen derfynol. Ond enilles i ddim, mi ddois yn ail i Einir Wyn Owen, Rhiwlas, Bangor. Fe ganodd hi gân werin i gyfeiliant ei thelyn ei hun, a hi dderbyniodd y tlws gan Dennis Rees, Cyfarwyddwr Recordiau'r Dryw. Y rhai eraill yn y rownd derfynol oedd dwy ddeuawd – Eilir a Beti Davies o Dalyllychau, a Rhian a Nan Parry o Bentrecelyn – ac un adroddwraig, sef Eiry Palfrey, yr unig adroddwraig yn y gyfres gyfan.

Roedd hi'n rhaglen boblogaidd ac mi gafwyd sawl cyfres, er nad oedd hi at ddant pawb. Mi ddwedodd Orthicon, beirniad radio a theledu *Y Cymro* ar y pryd mai rhaglen 'byw yn y gorffennol' oedd hi. A phan ddychwelodd am ail gyfres roedd o'n hallt ei feirniadeth ar yr elfen gystadleuol oedd ynddi ac yn dannod y ffaith na wnaeth y rhaglen ddim i ddarganfod talente newydd. Bernwch chi. Ymhlith yr enwe eraill a ymddangosodd arni roedd Sidan, Y Mellt, Janice Rees a Morus Elfryn, a wnaeth y rhaglen ddim drwg i 'ngyrfa gerddorol i chwaith! Sgwn i pwy oedd Orthicon, a beth ydi ei hanes o erbyn hyn?

Un o'r gwobrau am ennill y gystadleuaeth hon oedd cael recordio efo Recordiau'r Dryw a Dennis Rees yn cyfarwyddo. Gan na wnes i ennill, ches i ddim cynnig ar y pryd ond gan mai rhaglenni radio oedd y rhain, trwyddyn nhw mi ddois i sylw Dafydd Iwan a phan oeddwn i'n canu efo fo mewn cyngerdd yn ochre Sir Gaernarfon mi soniodd wrtha i am wneud record.

Trwy fy nghanu y dois i sylw Dafydd Iwan, medde fi, ond roedd gen i hyrwyddwr arall na wyddwn i ddim byd amdano ar y pryd, oedd yn ceisio ei berswadio y dylai fy recordio, ac fel hyn mae Dafydd ei hun yn adrodd yr hanes:

Un â chysylltiad â Llanuwchllyn a ddaeth ata i yn nechrau'r 70au yn daer y dylem recordio rhyw 'hogyn o Fetws Gwerful Goch a chanddo lais fel angel'. Roedd y ffotograffydd yn hollol argyhoeddedig fod gan yr 'hogyn o Betws' rywbeth sbesial, ac mi drefnwyd yn y diwedd i'w gael i recordio pump o ganeuon ar gyfer record EP ar label 'Tŷ ar y Graig'. Gareth Maelor a Harri Parri oedd wedi sefydlu'r label honno, ond wedi iddyn nhw benderfynu canolbwyntio ar gyhoeddi llyfrau, dyma Sain yn cymryd gofal ohoni, i'w defnyddio ar gyfer talentau newydd. Fedre'r un label fyth fod wedi cael 'talent newydd' gwell na Trebor! Cyn pen dim, roedd y recordiau bach yn fflîo oddi ar silffoedd y siopau, a ninnau'n gwybod fod ffydd y ffotograffydd taer o Ruthun wedi'i chyfiawnhau i'r eithaf. Roedd seren newydd wedi'i geni.

D E Derbyshire oedd enw'r ffotograffydd o Ruthun, ac roeddwn yn gyfarwydd â'i frawd, Dennis, oedd yn byw yn y Llan, yn arlunydd da, ac yn aelod o driawd ysgafn Godre'r Aran. Y pum cân ar y record oedd: 'Ave Maria' yn brif gân ac yna 'Capel y Wlad', 'Dychwel F'anwylyd', 'Croesffordd y Llan', a 'Pererin Wyf'.

Mi ymddangosodd *Ave Maria* yn rhif saith siart *Y Cymro* bron yn syth ac mi ddringodd cyn y diwedd i'r pedwerydd safle. Y recordie ar y brig bryd hynny oedd: *Brynrhydyrarian* (Triawd y Bryn), *Dwi isio bod yn Sais* (Huw Jones), *Tua'r Gorllewin* (Ac Eraill) a *Rhyddid yn ein Cân* (Yr Hennessys). Roeddwn i'n teimlo'n freintiedig yn cael bod yng nghanol y fath griw!

Mi gafwyd adolygiad ffafriol gan Llion

Griffiths yn *Y Cymro* er ei fod yn feirniadol o rai o'r caneuon am eu bod yn ordeimladwy.

Dyma a ddywed: '... does dim amheuaeth nad yw'r caneuon hyn, er eu sentimentaleiddiwch yn gafael, ac mae hynny'n ddigon o reswm dros eu recordio, dd'wedwn i. Ac mi sylwais, yn Eisteddfod Powys, fod mynd da ar werthu'r record, ond rhaid brysio i ddeud mai nid cynnwys y caneuon sy'n denu ond llais tenoraidd swynol Trebor Edwards. Mi fyddwn i'n barod i gydweld â'r broliant sydd ar boced y record a deud "fod ganddo lais arbennig", a'r llais yn fwy nag unpeth arall a rydd arbenigrwydd i'r record yma.'

Ar gownt y record mi ges wahoddiad i gymryd rhan ar raglen Huw Jones, *Cyfle*, ac ymddangos gyda Tonfedd, sef grŵp o'r Rhondda; Tony Hughes, band un dyn o Aberhafesb; Meryl a Moira, deuawd o Goleg Caerleon: Nôd, sef grŵp o'r Hendy; a Sheila Gardner, cantores o Gaint.

Mi soniodd Recordiau'r Dryw wrtha i yn y man hefyd y caren nhw i mi wneud record efo'r cwmni, er nad oeddwn i wedi ennill y gystadleueth, ond chlywes i ddim byd am y peth wedyn nes imi anfon i holi, ac erbyn hynny roedd hi'n rhy hwyr. Rhy hwyr oedd Recordiau Cambrian hefyd pan gysylltodd eu cyfarwyddwr, T W Hunter, efo fi ym Mawrth 1979 wedi iddo gyfarfod Huw Edwards, Tan y Bont, ffrind i mi, ac yntau yn y gogledd yn recordio Côr Meibion Caernarfon. Mi ddwedodd wrth Huw fy mod yn boblogaidd iawn yn y de a cheisiade aml amdanaf ar raglenni Sain Abertawe. Ond roeddwn i erbyn hynny wedi ymrwymo i Sain.

Ymlaen â'r gân, os nad â'r cystadlu, oedd hi felly, a heddiw, dros ddeugain mlynedd yn ddiweddarach, wrth gydnabod yn ddiolchgar a hiraethus fy nyled i lawer, yn arbennig fy nhaid, Mam, 'Nhad a Gweneurys, dwi'n dal i allu diolch hefyd 'am gael llais i ganu'.

PENNOD 3

'Rho im dy wên...'

DEUDDEG PUNT OEDD GEN i yn fy mhoced wrth imi gerdded prif stryd Bae Colwyn i gyfarfod Ann un pnawn Sadwrn er mwyn prynu modrwy ddyweddïo iddi. Roedd gen i fwy na hynny wrth gychwyn o Ben Brynie, ond ar y ffordd mi alwes ym Minafon a tharo bargen am lo!

Arian prynu modrwy neu beidio, mae'n debyg na fydde'r dyweddïo efo Ann wedi dod i fod o gwbwl oni bai am dri pheth, y dawnsio gwerin, y canu a'r teulu – yn enwedig y ddau olaf.

Yn y pumdege roedd dawnsfeydd gwerin yn boblogaidd iawn, ac yn fan cyfarfod llawer o ieuenctid cefn gwlad. Sawl egin priodas a darddodd ac a dyfodd wrth ddawnsio'r Ddafad Gorniog neu Ddawns Llanofer tybed? I Ddolgellau a Dinas Mawddwy y bydde'r rhan fwya o feibion a merched Meirionnydd yn heidio, ond tua Dyffryn Clwyd yr oedd ein tynfa naturiol ni gan ein bod yn byw ar ffin dwy sir, a dawnsfeydd llawr y dyffryn fydde'n ein denu.

Yn Ninbych, mewn neuadd yng ngwaelod y dre, ger Pwll-y-Grawys y cynhelid y dawnsfeydd yr awn i a'm ffrindie iddyn nhw bob nos Sadwrn, ac un noson yn Nhachwedd 1958 a finne'n beder ar bymtheg oed dene gyfarfod â merch o Fetws-yn-Rhos a threfnu i'w chyfarfod eilwaith yn fuan gan y byddwn yn ymweld â'r pentre hwnnw efo'r parti o fewn yr wythnos. Ond nid Ann oedd honno!

I'r parti, y parti a ffurfiodd Taid, mae'r diolch am y cyfle i ymweld â Betws-yn-Rhos, diolch mwy i Morris aeth yno i fyw a ffarmio Minafon efo'i briod, Elen. Y cysylltiad teuluol hwnnw a barodd ein bod yn mynd i gynnal noson o adloniant i'r gymdeithas ddiwylliannol yn y pentre.

Ysgrifenyddes y gymdeithas a'n gwahoddodd oedd Ann, Ann Faldwyn Roberts i roi iddi ei henw llawn, ac roeddwn i wedi bod yn siarad efo hi sawl tro gan mai fi erbyn hynny a wnâi'r trefniade ar ran y parti. Ond hwn oedd y tro cynta imi ei chyfarfod a gwybod pwy oedd hi. Yn anffodus roedd gen i drefniade i gyfarfod â merch arall y noson honno, yr un roeddwn wedi'i chyfarfod yn y ddawns y Sadwrn cynt, er mai Ann oedd wedi denu fy llygaid, a hi yn bendant fydde fy newis o'r ddwy! Doedd dim i'w wneud ond cadw'r dêt hwnnw, chware teg, a threfnu cyfarfod Ann yn y ddawns y Sadwrn canlynol.

Felly y digwyddodd hi, ac ar sail y dawnsio wythnosol yn Ninbych y datblygodd ein perthynas nes i ni, ymhen rhyw naw mis, yn Awst 1959, benderfynu dyweddïo, a rhaid oedd trefnu cyfarfod i brynu modrwy. Roedd Ann yn gweithio yn y banc ym Mae Colwyn ac wrth siop arbennig ar y brif stryd yn y dre honno yr oedd y man cyfarfod.

Yn anffodus, gan fy mod i wedi cyrredd yr ardal yn gynnar, mi alwes efo Morris ac Elen, fy ewyrth a'm modryb, a'u teulu ar y ffarm ym Metws-yn-Rhos. Ac yno roedd llo, un da, a Morris yn barod i'w werthu i mi. Gan mai Mam oedd yn dal i arwyddo siecie, doedd gen i ddim ffordd o dalu amdano heblaw efo arian parod, ac roedd arian parod gen i yn fy mhoced, arian parod i brynu modrwy ddyweddïo. Doedd dim i'w neud ond defnyddio peth o'r arian hwnnw ar gyfer prynu'r llo a gobeithio y bydde Ann yn dallt! Chware teg, roedd o'n gynnig rhy dda i'w wrthod a finne wedi llwyddo i'w gael yn rhatach na'i werth am fy mod i'n deulu. Bargen 'di bargen!

Yn ffodus, gan ei bod hi'n ferch ffarm ei hun, roedd Ann wedi dod i fy neall yn go dda erbyn hynny, a doedd hi ddim yn meindio – wel, wnaeth hi ddim dangos hynny beth bynnag. Mi brynwyd modrwy am ddeuddeg punt ac ymhen y flwyddyn, ar yr ugeinfed o Awst 1960, roedden ni'n priodi. Ryden ni bellach yn briod ers wyth mlynedd a deugien, felly mi allwn ni ddeud yn ddibetrus bod modrwy rad yn ddigon o sail i briodas hapus.

Capel Hyfrydle, Betws-yn-Rhos, capel y Methodistied Calfinaidd yn y pentre oedd y lleoliad, y capel yr âi Ann iddo a lle roedd ei thad yn flaenor. Y Parch. Cadnant Griffiths, gweinidog Ann, a'r Parch. T Alun Williams, fy ngweinidog i, oedd yn gweinyddu'r briodas; Rose, chwaer iau Ann, ac Ann Parry, Cefnmeiriadog, ffrind ysgol iddi, oedd y morynion, a'm cefnder Trebor Williams oedd y gwas – Trebor Ffridd Gymen, brawd Eira, yr Eira oedd wedi priodi Iwan Ty'n Ffridd, y

Sarne, un o fy ffrindie yn Ysgol y Bala.

Doedd y briodas ddim heb ei thrafferthion a fy oedran i oedd y drwg. Bryd hynny roedd yn rhaid gofyn am dystysgrif hawl i briodi dair wythnos cyn y dyddiad, ac yna mi fydde'r cofrestrydd yn gorfod bod yn bresennol ar yr achlysur i fod yn dyst i'r digwyddiad ac i'n cael ninne i arwyddo. Fyddwn i ddim yn cael y dystysgrif nes y byddwn i'n un ar hugien oed, ac felly roedd 'ne broblem. Y pumed o Awst oedd dyddiad fy mhen-blwydd, a chan fod y briodas ar yr ugeinfed mi fydde'n rhaid gofyn am y dystysgrif cyn diwedd Gorffennaf, pan oeddwn i'n dal yn ugien oed. Dim ond ychydig ddyddie oedd ynddi, ond bobol bach mi achosodd drafferthion. Mae'r gyfreth yn gallu bod yn fwystfil anystwyth iawn, fel y profes i fwy nag unwaith. Wedi'r cyfan, be mewn difri oedd y broblem? Mi fyddwn i'n un ar hugien erbyn y briodas ei hun! Mi fu llawer o ffonio a chysylltu efo pawb a phobun, yn enwedig efo'r cofrestrydd, a hynny ar bob adeg o'r dydd a'r nos, gan gynnwys galwad am un o'r gloch y bore.

Ond, ar ôl yr holl strach, mi gafwyd tystysgrif yn y diwedd ac roedd y cofrestrydd yn bresennol yn y gwasaneth. Wel oedd, ond roedd o'n hwyr! Ac nid honno oedd yr unig broblem!

Mi gafwyd trafferthion fore'r briodas hefyd. Y teulu, ynghyd â merched y capel, oedd yn paratoi'r bwyd a Mam yn gneud y gacen. Yn neuadd Betws-yn-Rhos yr oedd y brecwast a rywsut neu'i gilydd mi ymddangosodd peiriant godro Bryn Ffanigl Ucha, cartre Ann, yn y car oedd i fod i gario'r hufen i'r brecwast, ac roedd coed a rhwystre eraill ar hyd y ffordd yn atal Ann rhag dod i'r capel.

Ond mi gyrhaeddwyd yn y diwedd, yn hwyr – ond yn rhy gynnar i'r cofrestrydd gan fod ganddo briodas arall cyn ein priodas ni'r bore hwnnw, a doedd fiw cynnal y seremoni heb ei bresenoldeb o gan na fydde'n gyfreithlon. Gan ei fod wedi gorfod stwytho tipyn oherwydd helynt yr oed, allen ni ddim mynnu ei fod yn dod i'n priodas ni gyntaf, felly doedd dim i'w neud ond canu emynau, a'r rheiny'n emynau hir, i ladd amser. A dene gafwyd, rhyw fath o gymanfa ganu fechan gyda Taid yn arwain y gân a Gweneurys yn cyfeilio, a ninne'n griw yn y sêt fawr yn ein dillad priodas yn ymuno yn y canu. Dechre digon addas i'r gwasaneth hefyd, mae'n siŵr, o ystyried y rhan chwaraeodd canu yn ein cyfarfyddiad cynta a'r holl ganu dwi wedi'i neud ers hynny!

Yn y diwedd mi aeth popeth fel wats, ac roedd y brecwast yn y neuadd yn ardderchog. I fyny i Bryn Ffanigl wedyn i newid cyn gadel am ein mis mêl, a hynny yn Rover Taid Pen Brynie! Chware teg i Taid, prin bod fan Morris 1000, fan cario canie llaeth i'r ffordd, yn gerbyd addas i fynd ar fis mêl. Doedd dim y fath beth â pharti nos bryd hynny wrth gwrs, priodas, brecwast a mynd i ffwrdd oedd y drefn, a'r *send-off* yn rhan bwysig o'r holl weithgaredde. I'r ferch, roedd y wisg *going away* bron mor bwysig â'r wisg briodas ei hun, ac roedd disgrifiad ohoni'n cael ei gynnwys ym mhob adroddiad priodas yn y wasg.

Doedd hi ddim yn hawdd cychwyn o Fryn Ffanigl gan fod peryglon ym mhobman a nifer o'r gwahoddedigion ifanc, wrth gwrs, yn ceisio ein hatal rhag symud drwy osod pob rhwystr yn ein ffordd. Yn y diwedd llwyddo a'i rhuo hi i lawr y ffordd mor fuan ag oedd modd, o ystyried yr amgylchiade. Wedi'r cyfan, gan mai Taid oedd bia'r car, doedd wiw dangos iddo 'mod i'n ddreifar anystyriol. Roedd amryw yn ein dilyn er mwyn trio'n rhwystro. Llwyddo i droi i lawr ffordd fach gul a mynd i mewn i gae o'r golwg heb i neb ein gweld, ac aros yno nes bod pawb wedi mynd heibio a'r ffordd yn glir.

Ond doedden ni ddim wedi dianc yn iach ein crwyn chwaith, gan fod rhywun wedi llwyddo i glymu pysgodyn amrwd wrth injian y car, ac fel roedd honno'n c'nesu a'r pysgodyn yn dechre twymo, roedd y drewdod mwya ofnadwy yn treiddio drwy'r car. Roedden ni'n methu deall beth oedd o, ac yn meddwl mai rhywbeth oddi allan oedd yn ei achosi. Bu efo ni gydol ein mis mêl ac roedden ni ar ein ffordd adre cyn darganfod y pysgodyn o dan y boned, wedi hen grasu erbyn hynny.

I'r Alban yr aethon ni, gan aros yng Nghaer y noson gynta. Roedd y briodas ar ddydd Sadwrn, ond erbyn dydd Iau roeddwn i'n dechre anesmwytho ac yn barnu ei bod yn hen bryd i ni ei throi hi am adre, gan fod y Betws a'r ffarm yn galw, a dene naethon ni. Am adre mae 'nhrwyn i wedi bod erioed!

Roedd Dad a Mam, Margaret, Gweneurys ac Ann yn dal i fyw ym Mhen Brynie, ond buan iawn y daeth tro ar fyd, gan iddyn nhw symud er mwyn i ni gael y lle i ni ein hunen. Roedd Margaret wedi madael â'r ysgol, Ysgol Ramadeg y Merched yn y Bala, ac wedi dod ata i i weithio ar y ffarm, roedd Gweneurys yn gorffen yn yr un ysgol y Gorffennaf cyn y briodas, ac Ann yn dod i ddiwedd ei blwyddyn gynta yn y Bala.

I Ruthun yr aethon nhw i fyw, ac mi gafodd Margaret waith yn y gyfnewidfa deliffon ac yn ddiweddarach yng nghyfnewidfa'r heddlu yn Abergele a Bae Colwyn. Roedd Gweneurys wedi dechre gweithio yng Nghaffi'r Cyfnod yn y Bala, ac arhosodd yn y dre honno nes cael gwaith yn siop Boots yn Rhuthun, tra aeth Ann i Ysgol Brynhyfryd i'w hail flwyddyn mewn ysgol uwchradd.

Yn un ar hugien oed, chwe blynedd wedi imi ddatgan wrth Mam 'mod i isio ffarmio Pen Brynie, roedd gen i ffarm o dros gant a hanner o aceri, gwraig a thŷ i ni ein hunen. Bu'r blynyddoedd nesaf yn flynyddoedd o ddatblygu'r ffarmio, o fagu teulu ac o ganu.

Mae'r rhai sy'n cofio'r chwarter canrif yn dilyn yr Ail Ryfel Byd yn cofio hefyd mai'r chwyldro penna ym myd amaeth yn yr ardaloedd gwledig oedd dyfodiad y lori laeth.

Ei rhu ar hyd y cefnffyrdd a'i stopio cyson wrth y naill stand llaeth ar ôl y llall i lwytho'r canie oedd moddion cynhalieth bob ffarm bron. Profiad newydd a derbyniol dros ben i bob ffarmwr oedd derbyn siec fisol sylweddol, heb fod yn annhebyg i gyflog mewn galwedigaethe eraill. Amser ymweliad y lori laeth a roddai siâp i bob diwrnod, gan mai hynny fydde'n penderfynu amser godro bore a nos.

Mewn ambell ardal mi fydde'r lori laeth yn dod yn gynnar ac yn cychwyn casglu tua saith y bore, hynny'n golygu godro tua phump. Mewn ardaloedd eraill mi fydde'n ganol pnawn arni'n cyrredd. Cafodd y lori laeth effaith amlwg ar y bywyd cymdeithasol, ac ar bresenoldeb mewn capeli hyd yn oed. Roedd hi'n hanner ola'r ugeinfed ganrif a'r byd yn newid.

I'r ffatri laeth yn Felin Rug, ger Corwen, y bydde'r cynnyrch yn mynd, a'r broblem fawr yn ystod yr haf fydde ei gadw rhag twymo gormod a throi neu ddechre suro, yn enwedig llaeth godriad y noson cynt. Mi ddeue pobol y weinyddiaeth heibio i samplo'r llaeth yn y canie, a gwae'r ffarmwr os na fydde fo'n pasio. Gwae mwy i ambell un hefyd a fentrodd roi dŵr ar ben y llaeth i'w ymestyn! Roedd pennill beddargraff Sarnicol i'r 'Llaethwr Anonest' yn un poblogaidd iawn bryd hynny, â sawl un yn ei ddyfynnu mewn cyfarfodydd bach a nosweithie llawen:

> *Ei filoedd yn y byd a wnaeth*
> *Drwy ddodi dŵr ar ben ei laeth,*
> *Ond lle mae heddiw, mae'n dra siŵr*
> *Mi wnâi filiynau, pe câi ddŵr.*

Bu sawl achos llys yn y cyfnod hwnnw gan fod y drosedd hon yn cael ei hystyried yn un ddifrifol. Yn wir, dwyn defed a rhoi dŵr yn y llaeth oedd y ddwy drosedd fawr ym myd amaeth. Does dim sôn am ychwanegu dŵr at y llaeth erbyn hyn, ond mae dwyn defed yn dal efo ni, a dwyn offer ffarm a disel bellach, yn anffodus, yn rhywbeth sy ar gynnydd yng nghefn gwlad.

Roedd stand llaeth pob ffarm yng ngheg y ffordd ac mi fydde pob ffarmwr, hyd y galle, yn ei osod mewn cysgod, ond doedd hynny ddim yn bosib bob amser, ac ar dywydd poeth iawn câi'r llaeth ei gadw'n oer trwy glymu sache gwlybion o gwmpas y canie. Roedd hi'n broblem ychwanegol pan fydde'r lori'n hwyr!

Nid problem yr haf yn unig oedd taith ddiogel y llaeth o'r ffarm i'r ffatri. Roedd cyfnod y lori laeth hefyd yn gyfnod y gaeafe hen ffasiwn pan oedd dyfodiad misoedd y gaea yn ernes sicr o eira, a hwnnw'n eira mawr. Heddiw, yn nyddie'r newid syfrdanol yn yr hinsawdd, mae'n anodd dychmygu ffyrdd culion y wlad wedi'u cau a'r eira yn lefel efo penne'r gwrychoedd a'r cloddie, ond felly roedd hi, ac ni alle'r lori laeth ddod i'w gasglu dan y fath amode.

Ond roedden ni yn y Betws yn lwcus, gan mai taith fer oedd 'ne i lawr i'r ffordd fawr wrth y Goat neu'r Cymro, ac oddi yno ar hyd-ddi i'r ffatri. Mi fydde nifer ohonon ni'n trefnu gyda'n gilydd i ddanfon y llaeth gyda tractor bocs, gan fod pob ffarm yn yr ardal yn godro bryd hynny. Anamal iawn iawn y methwyd â mynd, ac wrth gwrs roedd rheolwyr y ffatri a'r gweithwyr wrth eu bodde yn gweld y llaeth yn cyrredd.

Mae'r ffatri wedi cau ers blynyddoedd bellach, a heddiw mae datblygiade ar yr A5, a'r bont newydd dros afon Alwen yn golygu bod rhanne helaeth o'r adeilade wedi'u dymchwel. Eto mae rhyw chwithdod i'w deimlo wrth weld yr hen le a chofio'r dyddiau da pan oedd dros hanner cant yn gweithio yno, a'r rheiny'n weithwyr lleol, a pherthynas agos yn bodoli rhwng rheolwyr y ffatri a ni'r ffermwyr, y cynhyrchwyr.

Wrth i'r lori laeth ddod yn rhan annatod o gefn gwlad mi ddaeth y peiriant godro i'w fri hefyd. Roedd gofynion caeth y casglu dyddiol yn golygu trefn bendant ar y ffarm a bod angen cyflymu'r broses odro, ac felly yn fuan iawn roedd gan bob ffarm bron ei pheiriant godro. Alfa Laval oedd y gwneuthuriad mwyaf poblogaidd yn yr ardal hon, ac mi sicrhaodd Taid beiriant yn gynnar iawn. Doedd o ddim yn un i lusgo'i draed pan oedd unrhyw ddatblygiad newydd o bwys ar y gorwel amaethyddol. Ond pan gynhaliwyd sêl ym Mhen Brynie wrth iddo fo adel mi werthwyd y peiriant godro yn sgil popeth arall.

Ffarm gymysg oedd Pen Brynie ond ar odro roedd y pwyslais, a dene, ar y dechre oedd fy mhwyslais inne. Roeddwn i'n anelu at fedru gwerthu can galwyn o laeth y dydd, ac i wneud hynny roedd yn rhaid wrth fuches sylweddol a threfn bendant i'r godro.

Un beudy hir oedd y man godro ac mi benderfynes gael peipen i gario'r llaeth o un pen i'r llall a thrwodd i'r dêri. Roedd y peiriant godro'n cael ei gysylltu i'r beipen ac felly âi'r llaeth yn syth o'r fuwch ar ei hyd a thrwodd i danc mawr, ac o hwnnw drwy'r peiriant oeri i'r canie llaeth. Mi alla i frolio 'mod i'r cynta yn Sir Feirionnydd i gael peipen o'r fath! Ond roeddwn i'n ifanc ac yn meddwl 'mod i'n gwybod y cwbwl! Erbyn heddiw, ochr yn ochr â'r parlyrau godro sy'n cynnwys popeth state of the art mae'r beipen gario'n swnio'n amrwd iawn, ond ar y pryd roedd hi'n eitha chwyldroadol.

Mi fu Ann a finne'n brysur yn magu plant hefyd, ac ymhen saith mlynedd wedi inni briodi roedden ni wedi cael pump: Catherine Eluned, Margaret Rose, Robert Gwyn, Hywel Clement a Trebor Erfyl, pob un ohonyn nhw efo dau enw, am fod gen i ac Ann ddau enw mae'n debyg. Erbyn heddiw mae tuedd i deuluodd gael eu plant ar ôl cael popeth arall, ac o'r herwydd dyw rhieni ddim mor ifanc ag y bydden nhw. Ond fel arall oedd hi efo ni, y plant yn dod cyn i'r ffarm ddatblygu'n iawn, a chyn inni gael ein traed danon.

Oedden ni'n dau, Ann a finne, dipyn bach yn bryderus pan anwyd dwy ferch inni tybed? Pryder beth ddigwydde i'r olynieth ar y ffarm, neu oedden ni'n rhy ifanc i falio am bethe felly? Wn i ddim. Ond mi wn na fyddwn i am newid hynny pe cawn i fy mywyd eto, nac am ddewis llwybr arall mewn bywyd chwaith. Rhoddodd magu plant rywsut bwrpas hefyd i ddatblygiad y ffarm. Roedden ni'n ifanc, y plant yn agos at ei gilydd ac yn fuan iawn daethon nhw'n gwmni i'w gilydd. Mae'n bosib iawn mai cynhesrwydd teuluol fy nghartref i yn Tŷ Newydd a phwysigrwydd Taid a Nain Pen Brynie a'm gwnaeth i'n ddyn teulu, a'r un fath o fagwraeth gafodd Ann hefyd. Mae'r teulu'n bwysicach na dim inni ac mi ryden ni'n falch o'u cael nhw o'n cwmpas.

Mae cyfnod magu plant yn gyfnod bendigedig, ond yn anffodus, 'ni cheir y melys heb y chwerw' medde'r hen air, ac felly y bu hi yn ein profiad ni.

Ddechre Mehefin 1966 oedd hi, bore braf, heulog, tawel, ac roeddwn i wedi mynd ati'n gynnar i drin darn o'r mynydd. Ganol bore, yn ôl fy arfer, mi ddois i lawr i'r tŷ am baned a dyma Ann yn deud nad oedd Hywel yn dda. Wyth mis oed oedd o ac yn hogyn bach bodlon, llawen, byth yn flin, byth yn strancio. Ond y bore yma doedd o ddim yn 'i bethe, roedd ganddo fo wres uchel, a dyma feddwl y bydde'n well ffonio'r doctor. Fel roedd hi'n digwydd doedd Gwyn, oedd yn ddyflwydd ar y pryd, ynte ddim wedi bod yn dda chwaith, ac mi alwodd Dr Ifor heibio i'w weld o ar yr union adeg pan oedden ni'n ystyried galw amdano i ddod i olwg Hywel.

Pan welodd o'r bachgen bach, doedd o ddim yn hapus o gwbwl, ac mi wnaeth drefniade ar unwaith iddo gael ei dderbyn yn yr ysbyty yn Wrecsam er mwyn iddyn nhw yno gael gweld be oedd yn bod.

Mi aethon ni â fo yn y car, a Gwyn efo ni, tra câi Catherine a Rose eu gwarchod. Roedd o'n edrych yn eitha da erbyn inni gyrredd Wrecsam ond fe'i cadwyd i mewn a'i roi mewn inciwbetor er mwyn iddyn nhw allu ei archwilio. Yn wir, edrychai'n rial boi yn yr inciwbetor yn gwenu'n braf arnon ni. Piti na fydden ni wedi oedi'n hirach i edrych ar y bychan a bod yn ei gwmni, gan mai dene'r olwg ola gawson ni arno'n fyw.

Mi aethon adre. Roedd yn rhaid i mi fynd adre i odro, beth bynnag, gan nad oeddwn i wedi gneud trefniade efo neb arall. Mi ddywedwyd wrthon ni am ffonio i weld sut y bydde fo. Cyn gynted ag y cyrhaeddwyd Pen Brynie dene ffonio, ac er mawr sioc i ni, roedd o wedi mynd, fel diffodd cannwyll, wedi mynd tra oedden ni'n teithio adre. Mi wn fod Ann wedi meddwl llawer tybed be oedd y doctor wedi'i weld y bore hwnnw i'w anfon i'r ysbyty mor sydyn. Roedd o'n sicr wedi darllen yr arwyddion er na ddwedodd o ddim wrthon ni ar y pryd.

Ond mae'n lwcus iddo ddod heibio ac i Hywel gael ei ddwyn i'r ysbyty, achos mi gafodd o bob chware teg. Pe bai o wedi marw gartre yn wyth mis oed ac mor sydyn, mae'n bosib y bydde 'ne helynt a siarad gan fod probleme'n digwydd pan fydd hynny'n digwydd i blant mor fach. Bu ceisio dal y brofedigaeth yn ddigon heb inni orfod wynebu amheuaeth a chael ein cwestiynu. Mi ddwedodd y doctor mai rhywbeth a alwodd yn *virulent virus* roedd Hywel wedi'i gael, rhyw siawns mewn miliwn fel petai, ond unwaith roedd y gelyn wedi ymosod, doedd 'ne ddim gobeth.

Bu colli Hywel, a hynny mor sydyn, yn ofid mawr ac yn brofedigaeth lem inni, yn brofiad na fyddem yn ei ewyllysio ar neb, ac eto rywsut doedd 'ne ddim amser i alaru gan fod tri o rai bach eraill ar yr aelwyd a rhaid oedd morol amdanyn nhw. Mae prysurdeb a gofal yn gallu bod yn rhyw fath o feddyginiaeth. Mi holodd un o'r plant Ann, 'Pryd mae Hywel yn dod yn ei ôl?' A hithe'n gorfod deud na fydde fo ddim. Ond roedden nhw'n ifanc iawn ar y pryd a doedden nhw ddim yn dallt, mwy nag oeddwn i pan fu farw fy chwaer, Glenys. Ac fel y digwyddodd pethe, yn fuan iawn wedyn roedd Ann yn disgwyl a chawsom Trebor Erfyl, yr olaf o'n plant. Fel y gallwch ddychmygu, roedd o'n drysor arbennig a ninne wedi colli Hywel. Ac roedd Gwyn wrth ei fodd. Pan ddwetson ni falle y bydde 'ne fabi bach arall, roedd o wedi holi ai bachgen fydde fo er mwyn iddo gael partner chware?

Mae 'ne rywbeth yn od ynglŷn ag amser a dyddiade. Wyth mis oed oedd Glenys fy chwaer pan fu hi farw, ac er na wyddwn i ddim am y peth ar y pryd, mi wn i erbyn hyn y gofid a'r hireth a lethodd fy nhad a'm mam bryd hynny. Wyth mis oedd Hywel ynte. Ac roedd rhywbeth ynglŷn â'r rhif chwech hefyd, ac ynte wedi marw ar y chweched diwrnod o'r chweched mis yn y flwyddyn chwe deg chwech. Ai chwech ydi rhif y diafol? Mae 'ne goel sy'n deud hynny, nid 'mod i'n greadur ofergoelus chwaith.

Mi benderfynwyd ei gladdu yn yr un bedd â'm chwaer, ac felly y bu. Does dim byd tebyg i fyw mewn cefn gwlad. Ŵyr pobol y trefi mawr ddim byd am gynhesrwydd y gymdeithas wledig. Mewn unrhyw argyfwng mae'r gymdogaeth yn lapio amdanoch, ac felly roedd hi yn y Betws y mis Mehefin hwnnw, amser maith yn ôl bellach.

Er bod deugien mlynedd a mwy ers hynny, wnaiff Ann na finne byth anghofio'r caredigrwydd a'r cymwynasgarwch dderbynion ni bryd hynny. Doedd dim yn ormod gan neb i'w wneud inni. Mi fu'r doctoried Eddie ac Ifor yn arbennig o dda, â Doctor Eddie yn dod atom i esbonio beth oedd wedi digwydd ac i'n sicrhau nad oedd dim bai arnon ni ac nad oedd dim yn wir y gallen ni fod wedi'i neud. Mae clywed hynny'n gysur bob amser gan fod y teimlad o euogrwydd yn deimlad cry mewn unrhyw brofedigaeth. Mor ffodus oedden ni yn ein doctoried, doctoried gwlad yn byw yn ein plith yn y gymdeithas ac yn deall meddylfryd y bobol, a ffodus hefyd fod yna, ar un diwrnod o'r wythnos, feddygfa yn y Betws. Yn siop yr Hand y bydde'r feddygfa ar y dechre, wedyn yn festri'r capel, ac yna mewn tŷ a brynwyd gan y practis yn y llan – Tyrpeg, ac maen nhw yno o hyd, er bod y gwasaneth wedi newid llawer ers hynny.

Cynhafal Hughes, Melin-y-wig, oedd yr ymgymerwr, gŵr lleol ac un roedden ni yn ei nabod yn dda. Y Parch. E R Lloyd Jones oedd y gweinidog ac mi fu ei wraig Jean yn eithriadol o dda wrthon ni, yn enwedig yn gwarchod y plant. Roedd eraill hefyd, ond mae'n beryg enwi rhag anghofio rhywun, gan i bawb fod mor arbennig.

Ar ddiwrnod yr angladd yng nghapel y Gro roedd plant yr ardal wedi bod wrthi'n hel blodau ac wedi eu gadel yn fwnshys bach y tu allan i'r capel, heb enw wrth yr un ohonyn nhw.

Dwi ddim yn cofio pwy a'n perswadiodd ni i gynnal angladd cyhoeddus, ond o gynnal un preifat trwy wahoddiad mi fydden ni wedi anghofio am rywun. Hefyd, roedd angladd cyhoeddus i blant bach yn arferiad yn y fro, ac roedd Haf Bodynlliw, fu farw yn bum mlwydd oed, wedi cael angladd tebyg ychydig ynghynt.

Y drefn oedd gwasaneth byr i'r teulu yng nghegin fawr Pen Brynie gyda'r Parch. E R Lloyd Jones a'r Parch. J T Roberts yn cymryd rhan, yna'r angladd yn y fynwent, ac wedi hynny y gwasaneth yn y capel. Roedd y capel dan ei sang a dege yn sefyll y tu allan. Y Parch. E R Lloyd Jones oedd ein gweinidog a than ei ofal o yr oedd yr angladd, ac mi draddododd anerchiad trawiadol. Yn ei helpu roedd y Parchedigion J T Roberts, oedd yn byw yn y Betws; Cadnant Griffiths, cyn-weinidog Ann; W Cynwil Williams, gweinidog Dad a Mam, a'r rheithor, Emlyn Jones. Dafydd Evans Brithdir, Mrs Jones Glanaber a Mrs Davies Hand Stores oedd yng ngofal y canu, ac fel y gallech chi ddychmygu roedd y canu yn syfrdanol ac yn atseinio drwy'r fro. Un o'r emynau oedd 'Mae d'eisiau di bob awr', gan i'r emyn a'r dôn wneud cymaint o argraff ar Ann a finne pan oedden ni mewn cymanfa ganu ym Metws-yn-Rhos ychydig cyn y brofedigaeth.

Doedd y plant ddim yn yr angladd gan eu bod yn rhy ifanc, ond mi ddaeth y merched bach i'r festri i gael te wedyn. Ac wrth ddwyn y brofedigaeth i gof mae rhywun yn cofio'r holl gymwynasau, yr holl flodau, yr holl fwyd, a'r holl dendans – Bob Bryn Celyn yn picio draw sawl tro ar fin nos i fod yn gwmpeini ac i chware draffts, cardie a darts er mwyn newid meddwl oddi ar y brofedigaeth. Eleri

Thomas Llwyn wedyn yn gwarchod y plant ac yn casglu dillad Hywel i'w cadw, ac yna pan anwyd Trebor Erfyl yn eu dychwelyd i ni.

Dwi'n meddwl hefyd bod rhywbeth yn effeithiol yn y drefn o fynd i'r fynwent cyn y gwasaneth, trefn sy'n cael ei dilyn yn amal yn y Betws.

Yng ngeirie'r gân, 'Rho im dy Wên' oedd y gwahoddiad i Ann pan benderfynodd y ddau ohonom briodi. Derbyniodd hithe'r gwahoddiad, ac mae hi wedi bod efo fi byth er hynny, mewn llawenydd a thristwch, drwy chwerthin a dagre, a pheidiodd hi ddim, gydol y blynyddoedd, â rhoi i mi ei gwên.

PENNOD 4

'Dyma fy stori...
dyma fy nghân'

BEIC... MOTO-BEIC... CAR BACH, a hwnnw'n hen... car mwy newydd, a hwnnw'n bwerus... dene fynegbyst llwyddiant i lawer yng nghefn gwlad ddeugien mlynedd a mwy yn ôl, ond nid dene'n union y camre gymeres i. O feic bach i fan fach ac yna i gar, dene oedd yn adlewyrchu 'dod ymlaen yn y byd' i mi.

Pam ddim moto-beic tybed? Rheswm ymarferol falle – roedd fan yn handi i gario'r llaeth i'r ffordd. Ond, a deud y gwir, dwi ddim yn cofio dyheu am un erioed, a falle fod gan farwolaeth un o fy ffrindie mynwesol i, Tec Coed-y-pry, rywbeth i'w neud â hynny. Yn wir, bydde damweinie erchyll ar foto-beics yn digwydd yn gyson yng nghefn gwlad bryd hynny, gwaetha'r modd, mewn dyddie pan nad oedd neb yn gwisgo dillad priodol i reidio heb sôn am helmed – rhywbeth yn perthyn i reidwyr mewn rasys yn unig oedd honno. Ac mi wn i fod y mynych ruo ar ein ffyrdd y dyddie yma gan fyrdd o feicwyr modur swnllyd a gwibiog, a'r damweinie sy'n dal i ddigwydd yn ailagor hen friwie i lawer teulu.

Falle fod gan fy nhaid rywbeth i'w neud â'r peth hefyd, ei ddylanwad tawel o. A dylanwad tawel oedd o'n amal. Doedd o ddim yn busnesa yn fy magwreth, ddim pan fydde Dad neu Mam o gwmpas, a'u cefnogi nhw y bydde fo bob tro, fel yn achos yr aros yn yr ysgol i sefyll yr arholiade. Ond pan fydde 'ne ryw fistimanars gen i'n dod i'w glustie fo'n unig, yna fydde fo ddim yn ôl o roi 'nghroen i ar y pared am hynny.

Dwi'n cofio y bydde Iwan Ty'n Ffridd, Iw bach, yn dod i aros ata i ambell benwythnos, a chysgu yn Pen Brynie, wrth gwrs, gan nad oedd lle yn Tŷ Newydd. Ar ei feic y bydde fo'n dod, ar nos Wener fel rheol. Roedd gen inne feic, ac ar ôl te mi aem i Ben Brynie. Rhan ore'r daith oedd y rhan gynta un, i lawr yr allt serth o Dŷ Newydd i ganol y pentre. Ar waelod yr allt roedd tro a phont, ac mi fydde yna badlo gwyllt a chodi sbîd i lawr yr allt er mwyn ei sgrialu hi rownd y gornel fel Geoff Duke, un o arwyr beicio modur y cyfnod. Roedd hyn yn hollol saff, achos mi allen ni weld pan fydde 'ne gar yn dod cyn inni gychwyn o'r tŷ. Yna, mi fydde'r allt serth ar i fyny wedi arafu ein taith cyn inni gyrredd y groesffordd yng nghanol y llan. Lle delfrydol, ac mi fydden ni'n gneud y daith fach honno sawl tro cyn mynd ymlaen am Ben Brynie.

Ond roedd 'ne ryw hen brep yn y pentre, ryw hen frân wen – ma nhw i'w cael ym mhobman, a daeth ein gwibio gwallgo ar y darn ffordd hwnnw i glustie Taid, ac fe'n galwodd ato a'i rhoi hi inni ein dau. Nid deud y drefn, nid gweiddi a gwylltio na bygwth, ond siarad yn dawel a chall, dannod inni ein gwiriondeb a gneud inni deimlo fel llwch y llawr. Mi wnaeth argraff arna i ar y pryd mae'n siŵr, er 'mod i wedi hen anghofio am y digwyddiad; mi wnaeth argraff barhaol ar Iwan gan ei fod o'n dal i gofio ac yn dal i sôn am y peth.

Mi fuodd ein gwibio gwirion ar feic bach bron yn angau iddo fo unwaith, a wna i byth anghofio hynny! Y fi oedd yn aros efo fo yn Nhy'n Ffridd, y Sarne, yr adeg honno, a'r ddau ohonon ni'n mynd i'r ysgol i'r Bala ar gefn beics yn hytrach nag ar y bws.

Cychwyn o'r Sarne ychydig ar ôl y bws gyda'r bwriad o gyrredd y Bala o'i flaen, er mwyn dangos ein hunen i weddill y plant a'n gwneud ein hunen yn arwyr yn eu golwg. I neud hynny roedd yn rhaid ei basio wrth gwrs, ac mi ddaeth fy nghyfle i ar ôl mynd drwy Gefnddwysarn ar y darn syth o dan Cynlas. Gan fod y bws wedi ailgychwyn ar ôl codi plant yng Nghefnddwysarn doedd o ddim yn mynd yn gyflym iawn ac mi lwyddes i fynd heibio iddo cyn cyrredd trofeydd Graig Fawr. Ond nid Iw. Roedd gen i fantes arno fo gan fod gen i feic rasio a dim ond beic cyffredin oedd ganddo fo. Mi badlodd ynte fel fflamie gan gadw'n agos y tu ôl i'r bws. Ond yn sydyn, ar dro Tŷ Nant mi stopiodd y bws i godi rhywun a bu bron i Iw blannu i mewn iddo, ac mi alle hynny wedi bod yn ddigon amdano fo. Rywsut rywfodd mi lwyddodd i sgrialu rhwng y gwrych a'r bws a chyrredd y Bala yn groeniach, er braidd yn grynedig. Roedd y ddau ohonon ni wedi dychryn am ein bywyde y bore hwnnw.

Oedd, roedd beic yn bwysig iawn i hogie'r wlad bryd hynny, yn ymarferol bwysig ac yn declyn i gyflawni gwrhydri arno.

Dwi'n cofio un digwyddiad arall efo beic

hefyd. Roedd Iw wedi dod i aros i Ben Brynie efo fi ar gyfer mynd i Eisteddfod y Calan yn Llanfihangel. Mynd ar gefn beic yn llancie pymtheg oed i chwilio am gariad wrth gwrs, a chael un bob un hefyd! Lle da am gariad oedd steddfod! Doedd Iw ddim yn holliach y noson honno, roedd o'n cwyno o hyd fod ei wddw'n boenus ac yn stiff. Fel y digwyddodd hi, y mymps oedd arno, ac erbyn drannoeth roedd o'n eitha sâl. Ymhen deuddydd roedd o'n waeth, ac roedd yn rhaid ei gael adref rywsut, y fo a'r beic. Ond doedd o ddim ffit i'w reidio, felly dene'i sodro fo yn nhu blaen Rover Taid, bachu rhaff y tu ôl i'r car a'i chlymu wrth handlen y beic. Finne wedyn yn reidio hwnnw y tu ôl i'r car, a chael fy nhynnu i fyny'r elltydd serth, yr allt rhwng Pen Brynie a'r Hendre, y tynnu i fyny graddol, llafurus o'r pentre hyd at Bron Ddwyryd ar y ffordd tua'r A5, ac yna gallt serth Maesmor. Mi fasen ni yn y llys ar ein penne am fod mor ryfygus heddiw, ond dyddie diofal oedden nhw, dyddie da, dyddie difyr cyn i or-bryder a rheole di-ri ddifetha pob hwyl.

Mi gyrhaeddodd Iw adre'n saff beth bynnag ac mi aeth yn syth i'w wely, ac yno y buodd o am wythnos neu fwy, ac yn y man mi ddaethon ni i wybod hefyd i'r ferch y buodd o efo hi'r noson honno ddiodde o'r mymps rai wythnose'n ddiweddarach. Un da am rannu oedd Iw! Dwi wedi hen anghofio pwy oedd y ferch y bues i efo hi'r noson honno, ond mae Iw yn dal i gofio pwy gafodd y mymps, hyd yn oed yn dal i gofio'i henw, ond sori, dydi o ddim am ddeud!

Mi oedd camu o feic i fan yn gam pwysig iawn, ac o fan i gar yn bwysicach fyth. Arwydd o lwyddiant ym myd ffarmio mae'n siŵr, ac ystyriaethe ymarferol hefyd efo gwraig a theulu ifanc. Dydw i ddim yn gwirioni ar geir, dwi'n licio car a thipyn o fynd ynddo fo a dene'r cwbwl. Fydda i byth yn prynu car newydd, un ail law ar ocsiwn fel rheol a mynd â rhywun sy'n gwybod rhywbeth am geir efo fi i'w brynu.

Ond un tro mi es dros ben llestri a phrynu clamp o Jag. Roedd Ceiriog Morris yn cadw garej ym Maerdy ar y pryd, a dallwn i ddim madde i'r car mawr, sgleiniog a gâi ei ddangos o flaen y garej, yn enwedig gan ei fod o'n rhad! Dene'r mistêc mwya wnes i. Fuo fo'n ddim byd ond trafferth tra bu efo ni. Na, dim trafferth torri i lawr a chau mynd, dim trafferth wrth ei danio chwaith. Na, cael fy stopio gan yr heddlu fyddwn i o hyd ac o hyd. Rhyw blismon neu'i gilydd yn holi o ble roeddwn i wedi dod ac i ble roeddwn i'n mynd, ble ces i'r car ac ers faint oedd o gen i – cwestiyne felly.

Allwn i ddim dallt y peth o gwbwl. Yn y diwedd mi awgrymodd un o'r heddlu y dylswn i gael gwared ag o. Gŵr Myron Lloyd, y gantores, oedd o, ac ynte'n sbîd cop yn Rhuthun ar y pryd ac wedi fy stopio. Mi ddwedodd wrtha i: 'Taswn i'n dy le di mi faswn i'n cael gwared ag o mor fuan ag y medri di.' Ddwedodd o ddim pam, ond cael ei wared o wnes i, a hynny ar unwaith. Deg mis fuo fo gen i a wnes i ddim byd mor wirion wedyn.

Dwi 'di meddwl llawer be oedd yn bod efo'r car. Dwi'n meddwl falle mai ei faint o oedd y drwg a'r ffaith ei fod o'n Jaguar, a hynny'r ffordd yma, yng nghefn gwlad o bobman, yng nghanol Austins a Fords a cheir cyffredin, ac felly yn denu'r sylw. Neu mi alle mai ei rif o oedd yn tynnu sylw, rhif hollol ddiarth, rhif ochre Llunden dwi'n meddwl. A'r heddlu wrth ei weld yn meddwl iddo gael ei ddwyn.

Syniad gwirion oedd o, beth bynnag. Roedd 'ne beryg i bobol feddwl 'mod i'n dangos fy hun, neu hwyrach yn rhoi'r argraff anghywir bod ffarmio'n talu'n well nag oedd o wrth weld ffarmwr ifanc mewn car mor posh!

Ond datblygai'r ffarmio yn raddol a'r nod o gynhyrchu can galwyn o laeth y dydd wedi'i gyrredd erbyn diwedd y degawd. Dyma sy wedi 'i nodi ar y calendar am 1969:

Ebrill:	*69 galwyn y dydd*
Mai:	*89 galwyn y dydd*
Mehefin:	*101 galwyn y dydd*

Mi fyddwn i'n cadw moch hefyd, dros gant ohonyn nhw ar un adeg, ac mi fydde cymdogion yn dod â'u hychod i Ben Brynie at y baedd. Roedd gen i ddefed hefyd, a dros y blynyddoedd mi gynyddodd rheiny'n fawr.

Ffarm gymysg oedd Pen Brynie bryd hynny, ffarm fynyddig a'r 165 o aceri'n cynnwys mynydd – wel, rhyw fath o fynydd, mynydd dienw a hwnnw wedi'i gau ac nid yn fynydd agored. Roedd yno rai ffriddoedd, a pheth tir isel hefyd, nid tir llawr gwlad chwaith, gan fod y buarth a'r tir o'i gwmpas yn 900 troedfedd o uchder uwchben y môr, a'r mynydd yn codi i dros fil o droedfeddi. Lle gwyntog iawn ydi Pen Brynie ac erbyn heddiw mae ar y ffarm lai o wrychoedd nag y bu oherwydd cyfuno caeau bychain i greu rhai mwy, er fy mod wedi plannu amryw o goed bythwyrdd yma ac acw i dorri crib y gwynt ac i fod yn gysgod i'r anifeilied. Mae wyth o ffermydd yn ffinio â hi: Pencraig Fawr, Pencraig Bach, Maescadw, Dolgynlas, Yr Hendre, Foty Newydd, Ty'n Graig a Bryn Celyn, a bu cadw'r clawdd terfyn yn un o gonglfeini cymdogeth dda ar hyd y blynyddoedd.

Am flynyddoedd, nes daeth y godro i ben, roedd patrwm pob diwrnod yr un fath yn union. Allan i odro cyn brecwast ar ôl llyncu powlied o gornfflêcs, a'r godro wedyn yn cymryd tan ganol bore. Yna, i'r tŷ tua hanner awr wedi deg i gael brechdan bacwn a phaned, ail hanner y brecwast, am wn i. Mi fydde Harri'r postmon yn cyrredd tua'r un adeg ac yn cael paned efo ni bob dydd, cael paned a gwrthod brechdan. Ond roedd yn rhaid i fi a'r gwas fod am ein bywyde rhag bod yn hwyr neu mi fydde wedi bwrw i'r brechdane hefyd!

'Nôl i'r buarth wedyn, glanhau'r beudy a charthu a chario'r tail i'r domen yn y ferfa. Job tan amser cinio oedd honno. Roedd cinio yn ginio go iawn, tebyg i ginio dydd Sul bob dydd, efo cig a thatws a grefi a llysie. Nid gweithwyr swyddfa llwyd eu gwedd oedden ni, a dim rhyw snacs gwirion sidêt, fel brechdan neu basta neu afal a banana fydden ni'n eu bwyta. Dynion ar ein cythlwng oedden ni ac angen ein bwyd. Mae gan ffarmwrs yr enw o fod yn fytwrs mawr, ac yn fytwrs blêr. Yr angen sy'n ein gneud yn fytwrs mawr, prinder amser sy'n ein gneud yn fytwrs blêr!

Roedd gwaith y pnawn yn dibynnu ar yr adeg o'r flwyddyn, ond mi fydde'n de tua hanner awr wedi pedwar cyn godro fin nos, a'r te hwnnw'n de hen ffasiwn, yn frechdan a jam a chacen. Yna wedi'r godro a'r noswylio, swper, a hwnnw'n amal yn sbâr y cinio! Ma nhw'n deud bod byddin yn martsio ar ei stumog; wel, mae pob ffarmwr yn llafurio ar ei stumog yn sicr, ac fel pob peiriant daiff o i nunlle heb danwydd!

Bob hyn a hyn mi ga i'r cwestiwn, 'Be 'di fy hoff fwyd?' Mae'r ateb yn syml: bwyd plaen bob amser – stêc neu gig oen, bacwn ac wy, cornfflêcs, salad ffrwythe, ffrwythe ffres. Dim byd sbeisi na phoeth, ond dwi wedi dechre licio lasagne ac yn picio weithie i Goat Maerdy neu'r Glanllyn yng Nghlawddnewydd am ryw awr i fwyta. Mi fydda i'n galw am baned yn Caffi Cletwr ar y ffordd i lawr i Aberystwyth, a phan fydda i yn y mart yn Rhuthun mi fydda i'n cael toastie bacwn ac wy, ac wrth gwrs ar ôl canu dwi wedi bwyta tunelli o frechdane a sgons a chacen. Ar ôl canu bob amser, dwi ddim yn gallu bwyta cyn canu. Ac mae pobol yn groesawus iawn ym mhobman, bron. Cyn belled ag mae coginio'n bod, dwi ddim hyd yn oed yn gallu berwi wy, ac mae hynny'n ffaith!

Ffarm bedwar cowlas oedd Pen Brynie yr adeg honno. Erbyn heddiw mae siedie anferth bron ar bob ffarm ac yn rhan hanfodol o'r buarth. Siedie syml, to sinc a pholion oedd hi ddeugien mlynedd yn ôl, efo un talcen, falle, yn sinc fel y to – y talcen oedd yn wynebu'r tywydd, fel arfer. Roedd nifer y polion yn dibynnu ar faint y sied ac ar yr un pryd yn ei rhannu yn gowlase. Sied un cowlas fydde 'ne ar dyddyn bychan o ryw ddau neu dri chae, a dau gowlas os bydde'n rhyw ugien i ddeg acer ar hugien; ffermydd tri chowlas oedd y mwyafrif yn yr ardaloedd yma bryd hynny a ffermydd o ryw hanner cant i ddeg a thrigien o aceri oedden nhw – y ffarm deulu draddodiadol. Gan fod Pen Brynie yn ffarm bedwar cowlas, roedd hi'n ddigon mawr i gadw gwas.

Maldwyn Morris, Tŷ'n Ddôl, un oedd yn yr ysgol efo fi ond beth yn iau, oedd y gwas cynta dwi'n 'i gofio efo fi ym Mhen Brynie, a fo wnaeth gadw'r lle tra oeddwn i ar fy mis mêl. Roedd Maldwyn yn weithiwr da ac yn byw i mewn – yn cysgu mewn llofft yn y tŷ ac nid mewn llofft stabal, ac yn bwyta efo ni yn hytrach nag ar wahân fel gweision mewn rhai ffermydd. Mewn gwirionedd roedd o fel un o'r teulu. Bu'r bartnerieth yn un hapus iawn, ond yn y diwedd bu'n rhaid iddo fynd i weithio at ei ewyrth i Nantglyn.

Dwi'n cofio fel y bydden ni'n dau yn tynnu ar Margaret. Fe fydde hi'n golchi'r llawr ac yn taenu papur newydd drosto wedyn er mwyn ei arbed nes y bydde fo wedi sychu. Ond mi fydde Maldwyn a fi'n dod i'r tŷ yn syth o'r buarth heb dynnu am ein traed a cherdded ym mhobman ond ar y papur er mwyn ei gweld hi'n gwylltio!

Llew Bryn Tangor a Rich o Cerrig ddaeth ar ei ôl o ond, yn wahanol i Maldwyn, doedden nhw ddim yn fois godro. Wedyn Dei Ros Evans, mab Pendre Fawr, a doedd ynte chwaith ddim yn un am y godro. Doedd o ddim byw yn

Penbrynie, ond efo'i deulu yn Tyddyn, tŷ yn y llan.

Roedd y cyfnod hwnnw'n gyfnod o fynd i ganu hefyd, ond fyddwn i ddim yn mynd ymhell, dim ond ar fin nose i lefydd o fewn cyrredd. Dwi wedi'i chael hi'n anodd erioed gwrthod gwahoddiade, ac mae pobol bob amser mor daer!

Roedd y teulu'n fân, y gwaith yn drwm a gofynion y godro fore a nos yn ofynion caeth iawn. Y nod, ar ôl pasio'r targed o gan galwyn y dydd, oedd dyblu hynny ac erbyn diwedd y degawd roeddwn i'n godro dros ddeg ar hugien o wartheg y dydd – gwaith a gymerai rai orie yn nau ben y diwrnod, peiriant neu beidio.

Mi fyddwn i hefyd yn ceisio helpu Ann ore gallwn i, yn enwedig efo'r plant. Hi oedd yn gneud y bwyd, a hi sy wrthi hyd heddiw gan mor anobeithiol ydw i. Ond mae hi'n deud i mi fod yn un da am newid clytie, yn un da am nyrsio a rhoi'r plant yn eu gwlâu, ac yn un da am fynd â nhw allan efo fi. Wel, rhaid imi gyfadde, roeddwn i wrth fy modd ac mi fydde Catherine, yr hynaf, yn dod efo fi'n amal o gwmpas y ffarm, gan nad oedd ond pymtheg mis rhyngddi hi a Rose.

Doedd gan Ann neb yn ei helpu yn y tŷ, neb yn barhaol felly, ond bydde ei mam yn dod draw yn amal pan oedd y plant yn fach, ac mi fydde 'Nhad yn galw bron bob dydd i weld bod popeth yn iawn, er na fydde fo'n dod yma i weithio. Yn nes ymlaen, wedi i Bob, brawd Ann, briodi, deuai ei thad yma efo'i mam, gan aros dros nos, a mynd i ymweld â Dafydd Ifans, y Brithdir. Ac yno y bydde fo tan tua dau o'r gloch y bore!

Roedd Dad yn fawr ei ofal ohonon ni ac ar ôl iddo symud i Ddinbych, a ninne wedi bod yno yn ymweld â nhw, y rheol oedd ein bod i ffonio'n syth ar ôl cyrredd adre. Dwi'n cofio unwaith pan aeth Ann a fi a'r plant i Ddinbych ei bod yn eitha hwyr cyn i ni gyrredd adre a chael nad oedd y ffôn yn gweithio. Doedd dim i'w wneud ond mynd i'n gwlâu heb ffonio gan nad oedd yr un ciosg yn ymyl ac roedd hynny ymhell cyn cyfnod y ffôn bach. Yr adeg honno fydde'r drws ddim yn cael ei gloi a rywbryd ganol nos dyna ddeffro i glywed rhywun yn symud o gwmpas y tŷ. Dad oedd yno, wedi dod bob cam o Ddinbych i neud yn siŵr ein bod yn iawn gan nad oedd o wedi clywed gynnon ni!

Rydw i'n cofio cymaint â phump ar hugien

Nain a Taid Pen y Bryniau.

Dad a Mam.

Tad a Mam Ann – Howell a Kitty Roberts.

Teulu Tŷ Newydd Isa: Mam, Ann, Gweneurys, Dad, Margaret, a fi.

Fi a Margaret yn Ysgol y Betws.

Trip ysgol Sul i'r Rhyl – dim digon hen i feic dwy olwyn!

Eisteddfod Genedlaethol yr Urdd, Rhydaman 1957, yn 17 oed. Ail am yr unawd dan ddeunaw.

Parti Dawnsio Gwerin yr Urdd. O'r chwith: Elisabeth a fi, Ann a Cledwyn, Catherine a Maldwyn, Margaret ac Aelwyn.

Trebor Edwards, Betws G.G., "the boy with the golden voice," eing congratulated by the Eisteddfod President.

Llywydd Eisteddfod Llanfair Talhaiarn yn fy llongyfarch ar ôl imi ennill am ganu. 'The boy with the golden voice' meddai'r *Daily Post* ar ôl canmolieth y beirniad, y Dr Leslie Wyn Evans, Caerdydd.

Parti Min yr Alwen. O'r chwith: Morwena Davies (cyfeilydd), Dafydd Evans (arweinydd), Gwilym Thomas, Robin Vaughan-Evans, Aelwyn Lloyd, fi, Ted Roberts, Tom Edwards, Iorwerth Roberts.

Lleisiau'r Alwen, un arall o bartïon yr ardal –
Margaret, Enid a Helen.

Priodas Ann a fi, Awst
1960. "Mae'r peth yn
swyddogol."

Priodas Ann a fi. O'r chwith: Ann (ffrind ysgol), Trebor Ffridd Gymen (cefnder), fi ac Ann, Rose (chwaer Ann).

Dathlu ein priodas ruddem. Yr un pump, ond nid yr un drefn. O'r chwith: Rose Garthmyn (morwyn), Trebor (cefnder, gwas), fi ac Ann, Ann Ysgubor Newydd (morwyn).

Priodas Rose, chwaer Ann, efo'i thad a'i mam, Ann,
a'i brawd Bob.

Pen y Bryniau, ein cartref ar ôl priodi, a chartref
Erfyl a'r teulu erbyn hyn.

Efo fy chwiorydd yn 1994. O'r chwith: Margaret, Gweneurys ac Ann.

Siaced fy record gyntaf, *Ave Maria*. Mae'r sigaret yn y llun! Llun: Sain.

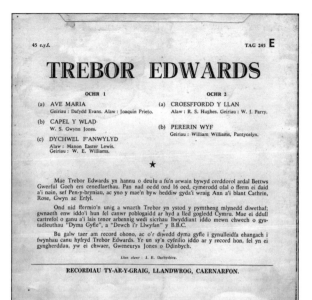

Cefn siaced fy record gyntaf, *Ave Maria*.
Llun: Sain.

Dyma'r llun ohonof dynnwyd gan Edwin Derbyshire ac a ddewiswyd gan Sain ar gyfer siaced y record *Dyma fy Nghân*.
Llun: Sain.

Mewn cyngerdd yn Sir Fôn. O'r chwith: Charles
Williams, Grace Pritchard, Aled Jones, Gweneurys,
a fi. Y tu ôl i ni mae Hogiau'r Ddwylan.

Ar set y rhaglen *Trebor*. O'r chwith: Trisgell, fi, Huw
Edward Jones, a Genod Tŷ'r Ysgol.

Taid a Nain Pen y Bryniau, fi (yn dal Erfyl) ac Ann. Yn y blaen o'r chwith: Gwyn, Catherine a Rose.

Derbyn y ddisg aur am *Un Dydd ar y Tro* ym Mhentrefoelas. O'r chwith: Gweneurys (efo'r hambwrdd gyflwynais i iddi), Huw Jones o Gwmni Sain, fi ac Ann. Llun: Sain.

Noson derbyn disg aur yng ngwesty Bryn Trillyn am *Ychydig Hedd*. Finne'n cael gwobr ychwanegol gan chwaer Sian Adey Jones! Llun: Sain.

Efo aelodau Ysgol Sul y Gro 1995.

Ein capel – Capel y Gro.

o bobol yma eisiau eu bwydo adeg cneifio. Mi ddeue Blake, hogyn o Loegr, yma'n gyson i gneifio. Bu ei daid a'i nain yn byw yn yr ardal ac mi ddechreuodd ddod yma pan oedd o'n blentyn bach, ac mae o'n dal i alw. Roedd Pen Brynie yn dŷ agored yng nghyfnod Taid a Nain, ac mae o felly o hyd.

Doedd dim dŵr yn y tŷ am flynyddoedd nes y daeth y *mains*. Dydi teuluoedd heddiw yn gwybod dim byd amdani! Roedd gynnon ni ffynnon yng nghanol y buarth ac o honno y caen ni ddŵr, er bod peipen ddŵr fawr yr Alwen yn pasio drwy ran o'r tir. Cafodd Taid ryw gymaint o arian am yr hawl i osod y beipen yn y ddaear, ond chafwyd dim dŵr.

Roedd peiriant gynnon ni i bwmpio'r dŵr i fyny i danc yn y tŷ, ac oddi yno i dap yn y tŷ ac i dap arall yn y deri. Gan ein bod yn gwerthu llaeth mi ddaeth amser pan fu'n rhaid profi'r dŵr i neud yn siŵr ei fod yn addas ar gyfer trin y llestri godro. Doedd o ddim. Roedd rhyw amhuredd ynddo fo ac mi fu'n rhaid inni gael purwr i'r dŵr lifo trwyddo. Wedyn roedd yr awdurdode'n hapus, er na wydden nhw ddim mai rhwng y tanc a'r tap yn y tŷ roedd y purwr, ond mai defnyddio dŵr o'r tap yn y deri fydden ni i olchi'r llestri godro. Doedd neb ddim callach a ddaeth neb i archwilio. Roedd gosod y purwr yn cyfarfod â'r gofynion, mae'n amlwg. Doedd neb yn poeni wedyn a biwrocratiaeth wedi cael ei fodloni!

Dau gowlas i wair a dau i ŷd, dene oedd y patrwm storio am gyfnod hir. Bu codi ŷd yn rhan o gynnyrch y ffarm gydol y blynyddoedd, ac mi aeth tri ohonon ni i bartnerieth i brynu a gosod dau seilo i sychu'r ŷd, sef John Baldwin, Pencraig Fawr, Miles Crawley, Bryn Halen, Melin-y-wig a finne. Defnyddio'r dyrnwr medi neu'r combein fydden ni i gynaeafu'r ŷd erbyn hynny, ac felly roedd yn rhaid sychu'r grawn yn syth. Yn Pencraig Bach yr oedd y seilos, ac yno hefyd roedd y felin i falu'r grawn a'i droi'n fwyd i'r anifeilied. Aeth troi a thrin y tir a chodi ŷd yn rhywbeth anffasiynol iawn ers blynyddoedd bellach, ond gyda phris porthiant fel mae o'r dyddie yma, mae cynhyrchu bwyd ar y ffarm wedi ailddechre a'r cylch amaethu yn dychwelyd i'r fan lle roedd o flynyddoedd yn ôl.

Fwy nag unwaith yn ystod beichiogrwydd Ann, yn arbennig wrth ddisgwyl Rose a Gwyn, mi fyddwn i'n cael y poene mwya dychrynllyd rywle yn fy ymysgaroedd. Mi ges fy rhuthro unwaith i'r ysbyty yn y Rhyl gan feddwl mai pendics oedd o. Ond dim byd o'r fath. Mi ges archwiliad ond mi fethwyd dod o hyd i ddim. Roedd pawb yn tueddu i wneud hwyl am y peth, rhaid mai poene cydymdeimlad oedden nhw. Dydi peth felly ddim yn annaturiol, medden nhw, ac mae sawl dyn wedi diodde'r poene hyn pan mae'r wraig yn disgwyl.

Ond mi aeth pethe i'r pen yn y diwedd a fedrwn i ddiodde dim mwy. Mi fu'n rhaid ffonio Doctor Eddie un diwrnod a chychwyn i Cerrig ar hast i'w weld. Fe gyfarfu'r ddau gar â'i gilydd ar dopie Llanfihangel, y fi ar y ffordd i'w weld o ac ynte ar ei ffordd i 'ngweld i. Roedd gwasaneth y doctoried lleol yn anhygoel bryd hynny, cyn i fân reole a gwaith papur ddwyn eu hamser. Cefais bigiad lladd poen yn y fan a'r lle, ac i'r fan honno hefyd y daeth yr ambiwlans, gan ei fod wedi galw amdani cyn cychwyn o Cerrig.

Y tro hwn mi gafwyd hyd i'r aflwydd, sef nam ar y coluddyn – *twisted bowel*, rhywbeth difrifol tu hwnt yn ôl y sôn, lladdwr pendant pe na bai'n cael ei drin. Ac ar ddiwrnod Sioe Cerrig, diwrnod i edrych ymlaen ato fel rheol, mi ges drinieth, a honno'n un lwyddiannus. Mi fues i'n lwcus.

Doeddwn i ddim yn smocio yn yr ysgol, ond am ryw reswm mi gychwynnes arni ar ôl imi briodi. Straen canu'n gyhoeddus falle, gan 'mod i'n ofnadwy o nerfus cyn mynd ar lwyfan bryd hynny ac rwyf yn dal felly o hyd. Neu falle mai straen y bywyd priodasol oedd yr achos! Beth bynnag am hynny, fues i erioed yn smociwr trwm, byth cyn brecwast, a'r rhan fwya ar ôl noswylio fin nos wrth y tân. Smocio Embassy roeddwn i ac roedd *vouchers* i'w cael yr adeg honno, a dwi'n cofio cael set Lego i'r plant efo rhai o'r *vouchers* hynny.

Pan gafodd fy record gyntaf, *Ave Maria*, ei chyhoeddi, roedd yn rhaid cael llun ohono i ar y siaced lwch wrth gwrs, ac fe'i cafwyd, a minne allan yn eistedd ar garreg yng nghornel y cae. Y ffotograffydd oedd Edwin Derbyshire, y D E Derbyshire oedd wedi crefu'n daer ar Dafydd Iwan i wneud record ohonof. Roedd o'n briod efo Eirlys, chwaer fy mam, merch ieuengaf Pen Brynie, ac roedd tynnu fy llun ar gyfer y clawr yn un o'r pethe cynta wnaeth o'n broffesiynol. Mi fu ganddo fo fusnes ffotograffieth yn Nyffryn Clwyd am flynyddoedd ar ôl hynny.

Roedd gen i sigarét yn fy ngheg neu yn fy llaw mae'n rhaid, ac mi ddwedodd wrtha i am gael ei gwared. Mi gosodes hi'n daclus ar un o'r cerrig gerllaw, ac yno mae hi, yn y llun, dim ond i chi graffu ac edrych yn y lle iawn!

Yr eildro imi orfod mynd i'r ysbyty am drinieth oedd y tro ola imi smocio. Dechre'r nawdege oedd hynny. Cawn boene mawr ac roedd Dr Norton, un o ddoctoried Cerrig yn meddwl ar y dechre mai'r galon oedd y drwg. 'You've had your last cigarette,' medde fo wrtha i. Nid awgrymu y dylwn i roi'r gore iddi ond deud! Ac felly y bu, er i'r ysbyty ddarganfod mai *gall-stones*, nid y galon, oedd y drwg!

Doedd yfed ddim yn rhan bwysig o 'mywyd i chwaith. Dwi'n ame fues i mewn tafarne fawr ddim cyn priodi, ac ar ôl hynny, dim ond ambell ymweliad â'r Goat Maerdy i gael pryd min nos, ac yna i Lanfihangel ar nos Fawrth pan fydde criw ohonon ni ar un adeg yn mynd i chware pŵl a darts.

Ac i'r rhai sy â diddordeb mewn pethe felly, mi oeddwn i, ac mi ydw i o hyd, yn torri 'ngwallt yn gyson – bob pum wythnos i fod yn fanwl. Mynd at Barber Ann neu Ann Jet i Dŷ Nant a thalu £5.50 am y torri a 50c o dip! Dwi'n credu bod gwallt taclus, wedi'i dorri'n rheolaidd, yn bwysig i rywun sy'n ymddangos ar lwyfan.

Nid y fi'n unig fu yn yr ysbyty yn ystod y chwedege. Mi gafodd Ann driniaeth yng Ngorffennaf 1969 ac mi fuodd yn yr ysbyty am bythefnos. Bryd hynny, fel pan gefais i driniaeth, mi brofasom werth teulu a chymdogeth dda wrth iddyn nhw edrych ar ôl y ffarm, edrych ar ôl y plant, a morol bod popeth yn digwydd fel arfer.

Ann fydde'n cychwyn y plant i'r ysgol, i'r Betws i ddechre mewn tacsi o ben y ffordd, ac i Ruthun wedyn – tacsi Bob Penbryn i'r ffordd ucha i gyfarfod â'r bws o Cerrig. Ond dynion fydde'n llywodraethwyr yr ysgol yr adeg honno ac mi ges fy ethol pan oedd Catherine, y ferch hyna, yn cychwyn yn yr ysgol. A dwi'n llywodraethwr byth ers hynny ac wedi gweld llawer o newidiade dros y blynyddoedd, y rhan fwya ohonyn nhw er gwaeth!

Ann fydde'n mynd â'r plant ar wylie i lan y môr hefyd, i Black Rock gan amla am fod gan Dad a Mam garafán yno. Mi fyddwn inne'n picio draw ambell dro, ond roedd y godro tragwyddol yn garchar parhaus. Ond câi Ann gwmni ei chwaer, Rose, a'i thri phlentyn – dwy ferch ac un mab, Jano, Bethan a Huw, a chan fod y garafán yn un fawr statig roedd digon o le i bawb ynddi a'r plant wrth eu bodde. Mae Jano erbyn hyn yn gymdoges weddol agos, yn bennaeth Ysgol Bro Tryweryn ac yn briod ag Aled Owen, pencampwr byd y cŵn defed. Eleni yn Llandeilo fo oedd pencampwr y byd unwaith eto.

Mi fuodd cryn dipyn o newid yn ein hamgylchiade ac yn hanes y teulu yn ystod ein degawd cynta ym Mhen Brynie. Ar wahân i golli Hywel, mi gollwyd Taid a Nain o'r ardal pan benderfynodd y ddau werthu'r tŷ yn y Betws a symud i Ddinbych i fod yn nes at Mam a Dad, symud o Dŷ Newydd Isa i 1, Abbey Court, a'r ddau enw'n adlewyrchu'r newid byd ddaeth i ran y ddau. Bu Taid yn wael iawn ychydig flynyddoedd cyn hynny ac roedd ei iechyd yn dal yn fregus, ond mi fu gadel y fro a gadel Capel y Gro yn dipyn o beth i'r ddau, yn enwedig i Taid ac ynte wedi bod mor flaenllaw ynglŷn â'r achos. Mi gafwyd cyfarfod arbennig i ffarwelio â'r ddau.

I Clwydfa, tŷ ar ffordd Dinbych yn Rhuthun, yr aeth Dad a Mam i fyw pan briodes i ac Ann. Roedd Mam yn gogyddes arbennig o dda, wedi bod yn coginio yn ysgol y Betws am flynyddoedd, ac yna wedyn mewn nifer o fanne yn Rhuthun ar ôl symud. Yn naturiol felly roedd Mam wastad wedi bod yn awyddus i fod yn berchen ar gaffi.

Un diwrnod, a Dad a finne wedi mynd i Ddinbych, i weld Aneirin Evans y twrne fwy na thebyg, a ninne'n sefyll ar y sgwâr ar ben dre Dinbych, fe sylwodd y ddau ohonon ni ar yr arwydd 'Ar Werth' ar siop Mellard yn ymyl Neuadd y Dre. Ac yn y fan a'r lle dene benderfynu y base hi'n gneud lleoliad ardderchog i gaffi ac y bydden ni'n trio'i phrynu hi i Mam. Haws deud na gneud oedd hi, achos doedd gan Dad ddim arian ac ynte newydd brynu Clwydfa yn Rhuthun. Rhaid cyfadde ei fod o dipyn bach yn betrusgar a dwi'n meddwl mai fi oedd yn barod i fentro.

Fel roedden ni'n ystyried a thrafod, pwy ddaeth heibio ond brawd i Nain Pen Brynie, sef Yncyl Joni Goblin, a dechre holi be oedden ni'n ei wneud yn y fan honno. A dyma ddeud wrtho fo y bydde'r siop yn lle ardderchog ar gyfer caffi a *milk bar*. 'Mi helpa i chi i'w brynu o,' medde fo, ac mi fuo'n un â'i air.

Roedd ffrind i'r teulu, sef Cledwyn Bompren,

yn adeiladwr, a fo wnaeth addasu'r lle bob yn dipyn fel roedd arian ar gael ac ar ôl i'r caffi agor, mi fydde Dad a Mam yn teithio 'nôl a blaen o Ruthun nes daeth stafelloedd y tŷ'n barod. Yna, mi werthwyd Clwydfa ac mi symudodd y ddau, ynghyd â'r merched – Margaret, Gweneurys ac Ann, i Ddinbych.

Yr un flwyddyn mi ddaeth Foty Newydd ar werth am yr eildro. Tyddyn bychan deg acer oedd yn terfynu â Phen Brynie oedd hwnnw, ac fe'i cynigiwyd i mi am £3,400. Roeddwn i wedi bod yn ei bori ers pan ddois i i Ben Brynie, ond pan ddaeth ar werth y tro cynta am £1,600 fedrwn i ddim fforddio ei brynu gan fod dyled y ffarm yn dal heb ei thalu.

Fe'i prynwyd o bryd hynny gan deulu o Lerpwl – teulu Roose, ac mi ges i ddal i'w bori tra buon nhw yno. Yna, ymhen chwe blynedd mi aeth ar werth drachefn a dyna pryd y cynigiwyd o i mi am £3,400, sef y pris gwreiddiol y talwyd amdano yn ogystal â'r arian roedd y perchnogion newydd wedi'i wario ar y lle. Roedd o'n gynnig teg iawn ond allwn i mo'i fforddio bryd hynny chwaith, ac fe'i prynwyd gan deulu Currie o Lundain.

Ryw flwyddyn wedi imi wrthod cynnig

teulu Roose i brynu Foty Newydd, mi ddaeth
Pencraig Mawr a Phencraig Bach ar werth.
Roedd y ddwy yn ffinio â Phen Brynie –
Pencraig Mawr yn ffarm sylweddol iawn o 300
acer a Phencraig Bach yn 50 acer. Allwn i ddim
ystyried prynu'r fwya o'r ddwy gan y bydde
hynny'n golygu gwerthu Pen Brynie a doeddwn
i ddim am wneud hynny am bris yn y byd.
Roedd Pencraig Bach yn fater gwahanol. John
Baldwin oedd yn berchen ar y ddwy a fo oedd
yn 'gwerthu'. Roedd Miles Crawley, Bryn Halen,
Melin-y-wig, un roeddwn i wedi cydweithio
llawer ag o, yn awyddus i brynu'r ddwy, ond
chware teg iddo fo, roedd o'n barod i mi gael
Pencraig Bach, y tŷ yn £2,500 a'r tir yn £3,700.
Roedd fy amgylchiade yn well erbyn hynny a
Taid wedi'i ad-dalu, ond mynd i fwy o ddyled
yn y banc oedd yr unig ffordd i brynu. Roedd
amgylchiade ffarmio yn newid yn gyflym. Ar
hyd y cenedlaethe ffermydd gweddol fychan,
digon mawr i gynnal teulu, fu mewn bod, ond
roedd y rheiny bellach yn rhy fach, yn enwedig
i gynnal teulu ar ei brifiant.

Flynyddoedd yn ddiweddarach, a phrisiau
wedi codi'n aruthrol, mi adawyd Foty Newydd
yn ewyllys y perchennog i'w ddwy ferch, ac
roedd un yn awyddus i mi ei phrynu, ac mi ges

i ei chynnig am £76,000. Ond roedd y chwaer arall yn mynnu ei bod yn mynd ar y farchnad ac mi fuo cryn dipyn o helynt rhwng y ddwy dwi'n meddwl. Ond ar y farchnad y cafodd fynd, ac fe'i gwerthwyd am £96,000, ugien mil yn fwy na'r cynnig roddwyd i mi. Falle mai'r chwaer arall oedd yn iawn yn y diwedd, ond nid i mi! Roedd y pris yn ormod a wnes i mo'i phrynu.

Yn ystod y chwedege daeth anhwylder ac afiechyd ar sawl ymweliad â ni. Ar wahân i Ann a fi, cafodd Catherine ddamwain a brifo ei braich yn ddrwg, a bu Rose ac Erfyl yn yr ysbyty – Rose pan oedd hi'n eira mawr ym mis Chwefror, a theithio i ymweld yn anodd. Yn 1967 daeth clwy'r traed a'r genau i gyffinie Croesoswallt ac ardal y ffin, a bu'n bryder am fisoedd, yn ogystal ag anhwylustod wrth inni fethu symud anifeilied na defnyddio marchnadoedd.

Ond mi fu uchafbwyntie hefyd: priodas arian Dad a Mam, bedyddio'r plant – pob un yn y capel, nid yn y tŷ, ac ambell briodas, megis un Margaret, arweinydd côr Bro Gwerful, a Ron Edwards o Lyndyfrdwy. A thrwy'r cyfan roeddwn i'n canu, yn helpu Capel y Gro i ennill tarian Gŵyl yr Ysgol Sul a chanu deuawd yn Eisteddfod y Tai efo Dafydd Ifans, y Brithdir, oedd yn ddigon hen i fod yn dad, os nad yn daid, imi. Mentro wedyn cyn belled â Rhyl, Birkenhead, Llangernyw, ar ôl godro wrth gwrs, efo Hogiau Clwyd yn amal, a chanu cân y cadeirio yn Eisteddfod y Ffermwyr Ifanc.

'Singing seems to ease a troubled soul,' medde Johnny Cash yn un o'i ganeuon. Alla i ddim deud imi gael problem felly erioed, ond mi alla i ddeud y gall canu fod yn feddyginiaeth neu'n therapi, nid yn unig i'r sawl sy'n gwrando ond i'r canwr ei hun hefyd.

Er 'mod i, ar hyd y blynyddoedd, wedi cyfri fy hun yn ffarmwr yn gynta, allwn i ddim dychmygu byd heb gân ynddo, a dallwn i chwaith, hyd yn oed yng nghanol y prysurdeb mwya, ddim dychmygu peidio canu fy hun. Ond roedd yn rhaid i rai pethe newid. Ymlaen â'r ffarmio felly, ymlaen â'r canu hefyd, ond nid ymlaen â'r godro!

PENNOD 5

... yn dyblu'r gân...

WN I DDIM YDI pobol ar y cyfan yn sylweddoli peth mor gaeth ydi godro, ddwywaith y dydd, fore a nos. Ond mae pobol cefn gwlad yn gwybod, a phan oeddwn i'n dechre ffarmio roedd pob ffarm yn godro rhyw gymaint o wartheg, pawb wrthi ar wahân i ambell ffarmwr diog, oedd falle'n gadel i'r lloeau wneud y gwaith! Rhaid oedd godro, neu mi fydde'r llaeth yn llifo o byrsiau'r buchod ac mi alle achosi pob math o drafferthion a chlefydau, megis *mastitis*. Boed law neu hindda felly, beth bynnag yr anawstere, beth bynnag y creisus teuluol, rhaid oedd bwrw ati ddwywaith y dydd.

Erbyn hyn ychydig iawn o ffermydd godro sydd mewn bod, ac mae'r rheiny'n ffermydd mawr sy'n cynhyrchu llawer o laeth. Mae Rose, fy ail ferch, yn briod â Hywel Glyn ac yn byw yn Nhy'n Celyn, Gwyddelwern, rhyw beder milltir oddi yma. Ty'n Celyn ydi un o'r unig ddwy ffarm sy'n godro yng Ngwyddelwern erbyn hyn. Ty'n Llechwedd ydi'r llall, ac mae'r ddwy rhyngddyn nhw'n cynhyrchu mwy o laeth bob dydd nag oedd holl ffermydd yr ardal honno pan fydde pawb yn godro.

Dene un arwydd o'r chwyldro sy wedi digwydd yng nghefn gwlad erbyn heddiw. Mi ddiflannodd y lori laeth a'r canie deg galwyn a dim ond ambell stand llaeth ar ben ffordd gul sy'n aros o'r cyfnod hwnnw, yn atgof o'r dyddie a fu. Yn eu lle mi ddaeth y lori dancer fawr sy'n gyrru'n syth i'r buarth i gasglu'r llaeth. Llawer hwylusach, llawer glanach, llawer iachach, a mwy ymarferol a didrafferth nag yn y dyddie a fu.

Wrth i'r ffarm dyfu a'r fuches ym Mhen Brynie'n cynyddu a'r galwade i ganu hefyd yn amlhau, roedd godro yn prysur fynd yn fwy a mwy o broblem. Roedd yr adnodde godro hefyd yn annigonol erbyn hynny, a'r beipen cario llaeth, a fu'n rhywbeth blaengar iawn rai blynyddoedd ynghynt, bellach yn hen ffasiwn.

Mi fydde'n rhaid gwella pethe'n sylweddol a gwario llawer o bres i gael parlwr godro

modern, a'r holl gyfleustere. Mi es i mor bell
â dechre chwilio ac astudio, a chael prisie. Mi
ges i sied newydd efo ciwbicls fel na fydde'n
rhaid rhwymo'r gwartheg ac mi darmaciwyd
y ffordd er mwyn hwyluso pethe i'r tancer
llaeth ddod i'r buarth. Ac wedyn, dene neud
y penderfyniad mawr. Rhoi'r gore i odro'n
gyfan gwbwl. Roeddwn i'n cael fy nhynnu oddi
cartre fwyfwy a dallwn i ddim mynd ar ofyn
cymdogion o hyd. Roedd y plant yn tyfu hefyd
ond eto'n rhy ifanc i gymryd cyfrifoldeb ar y
ffarm. Pe bai gen i fachgen oedd yn ddigon
hen i rannu'r cyfrifoldeb ar y pryd, dwi ddim
yn meddwl y byddwn i wedi newid cyfeiriad,
gan fod godro, bryd hynny, yn talu'n well na
magu stoc.

Ar yr un pryd roedd y canu, rhag fy ngwaetha,
yn hawlio mwy a mwy o fy amser ac yn fy
nhynnu oddi cartre. Yn amal roedd hi'n ras
wyllt i orffen godro cyn newid yn sydyn ac awê
i gyngerdd efo Hogiau Clwyd neu Leisiau'r
Alwen, ac ymddangos bob wythnos yn yr
haf yng ngwesty'r Hand yn Llangollen efo
Lleisiau'r Alwen i ddiddori'r ymwelwyr, gyda
Merfyn Davies, Glynceiriog yn arwain.

Roedd 'ne fwy nag un rheswm pam bod y

galwade canu yn cynyddu. Roedd *Sêr y Siroedd* a *Dewch i'r Llwyfan* y sonies i eisoes amdanyn nhw'n rhai o'r rhesymau. Un arall oedd y cyfresi *Dyma Gyfle* neu *Opportunity Knocks* a gynhaliwyd ym Mhafiliwn Corwen yn nechre'r saithdege.

Toc H oedd yn gyfrifol am eu cynnal ac Eifion Jones, Eifion y Co-op, yr un fu mor garedig wrtha i pan oeddwn i'n dechre ffarmio oedd y trefnydd a'r ysgrifennydd, ac un da oedd o hefyd. Mi gynhaliwyd y gyfres gynta ym Mehefin 1970, sef tair noson o gystadlu, ugien cystadleuydd ar y noson gynta, ugien ar yr ail a'r deg gorau o'r ddwy noson ym marn y panel yn mynd ymlaen i'r noson ola. Mi fydd enwe'r panelwyr o ddiddordeb i lawer: Meirionwen Powell, Cynwyd; Valmai Webb, Carrog; Parch. J D Bowen, Carrog; Gareth Owen a Diana Davies, y Bala; ac o Gorwen, Dilys Griffiths, Megan Tudor, R W Griffiths (R W neu Parcyn, yr unawdydd enwog) a Heulwen Redmond (Heulwen Haf, ddaeth wedyn yn un o gyflwynwyr cyswllt S4C). Oherwydd poblogrwydd y gyfres deledu y seiliwyd y syniad arni, roedd y pafiliwn yn llawn dop bob nos.

Mi wnes i gystadlu ar ddwy noson wahanol. Y noson gynta, drwy ganu deuawd efo Neville Hughes, ein postmon ar y pryd – y cynta i ddod mewn fan gan mai Harri, brawd Cynhafal, oedd y postmon cyn hynny, ac ar ei feic y bydde fo'n teithio.

Roedd Neville yn andros o gymeriad, yn canu ar dop ei lais wrth fynd o le i le ac yn gwneud cymwynase lu i ni, bobol cefn gwlad, yn cario negeseuon o ffarm i ffarm, ac nid negeseuon yn unig chwaith. Dwi'n cofio unwaith fod hwch o ffarm arall wedi dod i Ben Brynie at y baedd, ac roedd yn bryd iddi ddychwelyd adref. Cafodd fynd mewn steil – yn y fan bost! Sut siâp oedd ar y llythyre y diwrnod hwnnw, Duw a ŵyr, ond chlywes i neb yn cwyno.

'Pwy fydd yma 'mhen can mlynedd?' oedd ein deuawd yng Nghorwen, a beth bynnag am gan mlynedd mi oedden ni 'yma' ar gyfer y noson ola gan mai ni enillodd! Mae Neville erbyn hyn yn gynghorydd yn Sir Ddinbych, yn cynrychioli rhan o dre Dinbych. Mi fu'n blismon uchel ei barch yno ac yn faer fwy nag unwaith. Pwy a ŵyr nad ennill ar y ddeuawd roes y sbardun iddo i'w gwneud hi mor dda wedi hynny!

Ar yr ail noson mi wnes i ganu ar 'y mhen fy hun – 'The Wedding', cân y bues i'n ei chanu yn y Gymraeg lawer tro ar ôl hynny, ac mae ar un o'm recordie. Dafydd Evans, Cefn Nannau, gyfieithodd y geirie i'r Gymraeg i mi – tad Trebor Lloyd Evans, canwr o fri sy'n aelod o Gôr Godre'r Aran, yn enillydd cenedlaethol ar yr unawd bas, ac yn drysorydd Eisteddfod Genedlaethol Meirion 2009. Mi ddois yn ail i'r ddeuawd ac mi ddaeth Cyril Evans, Cynwyd, (Cyril Cwm), yr adroddwr yn drydydd. Yn ôl yr adroddiad (Saesneg) yn y papur lleol roedd 'ne 'intense excitement when the results were announced'!

Manon Easter Lewis oedd yn cyfeilio i mi ac i'r ddeuawd, person cerddorol dros ben, cyfeilydd penigamp ac arweinydd Côr Merched Edeyrnion. Mi ddaeth efo fi sawl tro ar y mordeithie, ac mi fydd yn dod eto i'r Caribî y flwyddyn nesa, os byw ac iach. Hi hefyd gyfeiliodd wrth i mi gystadlu yn rownd derfynol *Dewch i'r Llwyfan* yn Nolgelle.

Mae hi wedi cyfansoddi rhai o'r caneuon fydda i'n eu canu, caneuon soniarus a swynol dros ben, ac mae W E Williams, Glyndyfrdwy, wedi cyfansoddi'r geirie i ddwy ohonyn nhw;

'Bro Edeyrnion' a 'Dychwel f'Anwylyd'. Mi fu yntau'n brifathro yn Ysgol Dinmael, ac yna yng Nglyndyfrdwy, cyn ymddeol i Gorwen. Dyn diwylliedig iawn, a wnaeth ymdrech, medde fo, i warchod y ffin ieithyddol yng Nglyndyfrdwy, Mi lwyddodd i wneud job dda ohoni hefyd gan fod Glyndyfrdwy yn ysgol Gymraeg hyd heddiw, diolch am hynny. Mae ei fab, Gruffydd Aled Williams, newydd ymddeol o'i swydd yn Athro yn y Gymraeg ym Mhrifysgol Aberystwyth. Mi fu bron i'r gân 'Dychwel f'Anwylyd' ddod ag enwogrwydd mawr i W E a Manon, gan iddi ddod yn ail yng nghystadleuaeth Cân i Gymru yn 1970 allan o dros ddau gant o gystadleuwyr, gan ennill dros wyth cant o bleidleisiau. Mi ganwyd y gân ar y rhaglen *Disc a Dawn* o ganlyniad i'r llwyddiant hwnnw.

Bu'r gyfres *Dyma Gyfle* mor llwyddiannus fel y cynhaliwyd ail gyfres yn 1971, ac roedd honno, os rhywbeth, yn fwy llwyddiannus na'r gynta, gyda chyfanswm o 48 o gystadleuwyr yn perfformio yn ystod y ddwy noson gynta a 24 yn y rownd derfynol. Deuai'r cystadleuwyr o bob rhan o ogledd Cymru ac roedd dros fil o bobol yn bresennol yn y pafiliwn bob nos am dair noson.

I'r ail gyfres, dim ond canu unawd, yr 'Holy City' wnes i ac mi ddois yn gynta yn y rownd gynta ac yn gydradd gynta efo parti gwerin o Lansannan, Parti'r Bryn, yn y rownd derfynol. Yr hyn wnaeth y trefnydd oedd cyfuno'r wobr gynta o £30 efo'r ail wobr o £20, a rhoi £25 yr un i ni. Parti canu o Gynwyd ddaeth yn drydydd. Mi gyflwynwyd y gwobre gan Wil Edwards, yr Aelod Seneddol ar y pryd, gan fod Edeyrnion yn rhan o Feirionnydd yr adeg honno, ac roedd elw'r gyfres yn cael ei rannu rhwng Eisteddfod yr Urdd Meirion 1972, sef 'Eisteddfod y Jiwbilî', a chronfa'r pafiliwn a'r maes chware.

Mi ofynnodd Wil Edwards imi ailganu'r 'Holy City' i ddiweddu'r noson. Mi wnes – ac anghofio'r geirie! Y broblem oedd 'mod i wedi'u sgrifennu ar gledr fy llaw ar gyfer y gystadleuaeth, ond roedd yr holl longyfarch ac ysgwyd llaw efo dwylo chwyslyd wedi'u dileu. Byth er hynny mi fydda i'n eu sgrifennu, os oes angen, ar gefn fy llaw!

Mi gynhaliwyd trydedd gyfres o *Dyma Gyfle* hefyd yn 1972, ond wnes i ddim cystadlu, rhag ofn i mi fethu ennill, falle! Wedi cyrredd y top, does 'ne ond un ffordd i fynd, ar i lawr! Ond, mi gynyddodd y galwade am imi fynd i ganu ar ôl y cyfresi hyn, a chynyddu fwy fyth ar ôl y record gyntaf.

Yn dilyn y gystadleueth, mi fues i'n mynd at Manon i'w chartre yn Cae Coed, Corwen, yn wythnosol i ddysgu caneuon, ond yn bwysiach na hynny, i ddatblygu'r llais hefyd. Ac yn y cyfnod hwn mi benderfynes, efo'i help hi, na fyddwn i'n ystyried mynd am y Steddfod Genedlaethol, ond yn hytrach yn canolbwyntio ar gyngherdde a nosweithie llawen.

Nid Manon oedd yr unig un fu'n rhoi gwersi lleisiol i mi. Cyn mynd ati hi roeddwn i wedi bod yn mynd at Rowland Jones i'w gartre yn Llanrhaeadr-yng-Nghinmeirch, Dyffryn Clwyd. Chwaraewr iwphoniwm ym mand enwog Gwauncaegurwen oedd o i ddechre, ac mi fydde'n perfformio unawde ar yr offeryn hwnnw. Fel encôr mi fydde'n canu ac mi ddwedodd rhywun wrtho ei fod yn canu'n well nag roedd o'n chware'r iwphoniwm. Wedi hynny mi fu'n un o'r tenoriaid mwyaf llwyddiannus a fagodd Cymru, ac yn brif denor cwmni Sadler's Wells – cwmni opera roedd cymaint o Gymry ynddo ar un adeg fel y câi ei alw'n 'Sadler's Welsh'.

Mi ymddeolodd y tenor enwog i Ddyffryn Clwyd yn dilyn gyrfa ddisglair ac mi fydde'n cynnal dosbarthiade i gantorion. Cysylltodd efo fi i gynnig ei wasanaeth. Mi fues i'n mynd ato fo am gyfnod i gael hyfforddiant ar y llais ac mi helpodd lawer arna i, er iddo ddeud, 'Mae'r llais yn naturiol a does dim eisiau newid dim arno.'

Gwilym Gwalchmai oedd un arall yr es ato. Y fo sefydlodd Gantorion Gwalia pan oedd o'n darlithio yn y coleg cerdd ym Manceinion. Ond pan ymddeolodd Heddle Nash, y tenor enwog oedd yn bennaeth y coleg, penodwyd Gwilym yn bennaeth yn ei le. O ganlyniad, bu'n rhaid iddo roi'r gore i'r parti ac mi benodwyd Rhys Jones yn arweinydd yn ei le. Mi fydde Gwilym yn cynnal dosbarthiade yn y Rhyl, yn Grange Mount, Brighton Road â'r perchnogion, Mr a Mrs Jones, yn rhentu stafell a phiano iddo. Mi fydde cantorion y gogledd yn tyrru ato: Gwyn Jones, Llanelwy (Gwyn Penpalmant), Goronwy Hayes, Wyn Hughes, Penri Vaughan Evans, a Bob Roberts, Henllan – i enwi dim ond rhai. Sioc i bawb a cholled aruthrol oedd marwolaeth sydyn Gwilym Gwalchmai ac yntau yn ddim ond 49 mlwydd oed.

Wnes i ddim rhoi'r gore i gystadlu yn gyfan gwbwl, dim ond cyfyngu ar y crwydro eisteddfodol. Mi fyddwn i'n dal i gystadlu'n lleol a phan ddaeth Eisteddfod Powys i Gorwen yn 1974 mi ddaru Gwilym Thomas a finne ei mentro hi ar y ddeuawd. Mi fydden ni'n canu efo'n gilydd yn y gymdeithas yng Nghapel y Gro, beth bynnag. Ac mi ddaethon ni'n ail, efo Rhian Davies a Catrin Owen yn ennill. Cenais gân y cadeirio yn seremoni'r Orsedd yn yr eisteddfod honno hefyd. Mi wnes i gystadlu yng nghyfarfod cystadleuol y Gro yr un flwyddyn, a dod yn gydradd gynta ar yr unawd efo Enid Owen, Enid Gwernfrân, un o aelode Lleisiau'r Alwen bryd hynny. Mae Enid yn wraig ffarm ym Motwnnog yn Llŷn ers blynyddoedd bellach ac yn dal i ganu a hyfforddi eraill. Mae dylanwad y Betws wedi treiddio ymhell!

Dwi wedi credu erioed mewn cymryd rhan yn y gymdeithas leol, honno ydi'r gymdeithas bwysig yn y diwedd, a ddyle unrhyw sylw cenedlaethol ddim atal rhywun rhag tynnu ei bwyse'n lleol. Dene 'nghred i ac roedd yr elfen gystadleuol bryd hynny yn dal yn gry' yno i, beth bynnag.

Mi gafodd yr elfen honno ei bodloni mewn maes arall, maes arddangos gwartheg a chystadlu mewn sioeau, ac mae'n debyg mai rhoi'r gore i odro agorodd y drws hwnnw i mi.

Ond roeddwn i'n dal i odro pan ddaeth yr Eisteddfod Genedlaethol i Ruthun yn 1973. Roeddwn yn un o'r artistiaid mewn Noson Lawen ym Mhafiliwn Corwen yn ystod yr wythnos, ac ar ddiwedd y noson mi ddaeth Iona Trefor Jones, sy'n enwog iawn mewn sawl maes gan gynnwys gosod ac arddangos blodau, ata i a gofyn a faswn i'n mynd efo hi a Nansi Richards ar daith ar y QE2 i ddiddanu'r teithwyr.

Y syniad oedd ei bod hi'n gwneud gosodiade ac arddangosiade blode i ddarlunio'r Croeshoeliad, dene'r thema – thema drom ar y naw o feddwl mai rhoi adloniant i gyfoethogion mordeithie'r QE2 oedd y syniad. Mi fydde Nansi wedyn yn canu'r delyn a finne, taswn i'n cytuno, yn canu caneuon ac emynau perthnasol megis 'Cof am y Cyfiawn Iesu'. Roedd hi angen ateb gen i naill ffordd neu'r llall o fewn ychydig ddyddie!

Roeddwn i wedi cyfarfod Iona Trefor Jones

cyn hyn gan y bydde hi'n dod yn amal i Nant Erw Haidd lle roedd Rhiannon a Maldwyn yn byw; roedd Nansi Richards yn berthynas agos i Rhiannon ac yn ymwelydd cyson. Mi fydde Alun Williams y BBC yn galw yno hefyd. Yno, mewn noson lawen anffurfiol y clywodd Iona Trefor Jones fi'n canu 'Cof am y Cyfiawn Iesu', a dyna pam y ces i'r gwahoddiad mae'n debyg.

Roedd o'n bendant yn gynnig a oedd yn apelio. Ond roedd y plant yn fach, wedi tyfu allan o'u babandod ac felly'n fwy na llond llaw i Ann, a'r godro'n llyffethair. Mi fu'n rhaid gwrthod, ac mi ges i'r teimlad nad oedd Iona Trefor Jones yn bles iawn efo fy mhenderfyniad, a dwi ddim yn meddwl iddi fadde imi byth ers hynny! Ond roedd amgylchiade'n ei gneud hi'n amhosib imi dderbyn, er, wedi imi wrthod ac i bawb ddod i wybod am y cynnig, mi ges i sawl un o'r cymdogion a ffrindie'n deud, 'Pam na faset ti wedi mynd? Mi fasen ni wedi gofalu y bydde popeth yn iawn adre.' Ond wyddwn i mo hynny ar y pryd. Beth bynnag, mi benderfynes i pe cawn y cyfle drachefn, na fyddwn yn gwrthod.

Mi oedd troi cefn ar y godro yn benderfyniad mawr. Roeddwn i wedi datblygu'r fuches dros y blynyddoedd – gwartheg Friesian oedden nhw gan mwya gydag ambell Ayrshire – ac mi fyddwn i'n cadw tarw ar gyfnode ac yn defnyddio canolfan yr A I yn Rhuthun yn ogystal. Gwerthu'r lloeau gyrfed a chadw'r beinw oedd y drefn. Mi fyddwn i'n prynu'r rhan fwya ym marchnad Rhuthun, gyda rhyw gymaint o brynu yn yr Wyddgrug ac ar ffermydd, yn enwedig gan R J Williams, College Farm, Trefnant, porthmon oedd yn arbenigo mewn gwartheg llaeth. Doedden ni ddim yn corddi ond yn cadw llaeth i'r lloeau, er y byddwn i hefyd yn rhoi peth llaeth powdwr iddyn nhw.

Wrth roi'r gore i odro a throi at fagu, daeth llawer o arferion oes i ben. Rhaid oedd newid defnydd yr adeilade a newid y brid gan mai gwartheg llaeth ydi Friesians, nid gwartheg magu. Ond roedd 'ne fanteision amlwg hefyd: mwy o amser i ddatblygu'r ddiadell ddefed, mwy o amser i ddatblygu a magu stoc, mwy o ryddid i fynd i ganu, falle'n fwy na dim, oherwydd y rhyddid gawn i wrth beidio gorfod dychwelyd o bobman i odro.

Fel mae'n digwydd, flwyddyn neu ddwy ar ôl imi ddarfod efo'r godro, mi gynigiodd y llywodraeth arian i ffermydd i fynd allan o gynhyrchu llaeth gan fod gormod ohono ar y farchnad. Taswn i ond wedi aros... ond dene fo, wnes i ddim, a fi oedd ar fy ngholled.

Mae rhai ffarmwrs, pan fyddan nhw'n rhoi'r gore i odro, yn gneud hynny ar unwaith, yn cynnal sêl ar y fuches odro ac yn defnyddio'r arian i brynu gwartheg magu. Nid felly y gwnes i, ond yn hytrach mynd allan o laeth yn raddol dros gyfnod o flwyddyn neu ddwy, gan ddal i werthu llaeth drwy'r cyfnod a'r cynnyrch yn lleihau'n naturiol fel roedd y gwartheg yn hesbio. Roedd gen i tua 40 o wartheg godro erbyn hynny ac mi fyddwn i'n defnyddio canolfan yr A I yn Rhuthun i groesi'r gwartheg Friesian efo teirw Charolais neu Limousin. Mi fyddwn i hefyd yn cadw'r lloeau i gynhyrchu biff.

Doeddwn i ddim â'm bryd ar gynhyrchu buches bedigri er y byddwn i'n prynu gwartheg pedigri Limousin o dro i dro er mwyn cryfhau'r stoc. Mi fyddwn i'n prynu lloeau hefyd ac wrth brynu, bob amser yn ystyried y potensial, heb fynd o angenrheidrwydd am yr anifel oedd yn edrych ore ar y pryd.

Roeddwn i wedi rhoi'r gore'n llwyr i odro erbyn i'r bechgyn ddod yn ddigon hen i rannu'r cyfrifoldeb, ac roedd yr incwm rheolaidd a gawn wrth werthu llaeth wedi sychu'n llwyr ac mi allai hynny fod wedi achosi trafferthion wrth geisio talu'r bilie.

Mae gan ffarmwrs yn amal enw drwg am beidio talu bilie, ac mae 'ne reswm amlwg am hynny. Os nad ydi ffarmwr yn godro ac yn gwerthu llaeth, dydi'r incwm ddim yn dod i mewn yn rheolaidd. Gall incwm ddibynnu ar yr hyn gaiff ei werthu neu ar ba bryd y daw'r grant, ac yn amal fydd hynny ddim yn cyd-ddigwydd efo'r angen i brynu a thalu bilie. Felly, mae rhedeg bilie am beth amser yn ffordd o fyw yn y byd amaethyddol ac mae'r rhai sy'n delio efo ffarmwrs yn gwybod hynny.

Dene i chi filie Edwards a'i Fab, Penygeulan, y busnes enwog yn Llanuwchllyn, er enghraifft. Ar bob bil mae dihareb i brocio'r gydwybod: 'Aml gyfrif bair hir gyfeillach.' A dwi'n cofio'n arbennig am filie H E Edwards, Huw Cynlas, Huw yr Hendre cyn hynny, i ni yma. Roedd o'n contractio'n lleol ac unwaith, wedi iddo fod yma'n aredig, neu droi fel y byddwn i'n ddeud ffordd yma, mi anfonodd fil. Yn lle deud: 'Am droi, £50', yr hyn gafwyd oedd: 'Am rwygo'r gwanwyn pêr o'r pridd, £50.'

Ond mi fu'n rhaid iddo fo fynd ymhellach na hynny i fy atgoffa i unwaith fod gen i fil heb ei dalu. Roeddwn i wedi llwyr anghofio amdano fo. Dyma wnes i ei dderbyn drwy'r post ar y bil arferol:

> *Blodau'r haf sydd wedi darfod*
> *Cawod ddail ar ddôl yr Hafod,*
> *Gwiwer goch yn hwylio'i noswyl,*
> *Minnau sydd yn dal i ddisgwyl. – £60*

Mi fydde angen calon go galed i beidio talu ar ôl derbyn bil fel 'ne!

Roedd Dad a Mam wedi hen setlo yn Ninbych erbyn hynny ac wrth eu bodde yno – Mam wedi cael yr hyn oedd hi'n ddymuno, sef bod yn berchen ar ei chaffi ei hun a chael Gweneurys i'w helpu efo'r busnes, a Dad yn gweithio yno hefyd ac yn gyfrifol am y gwaith papur. Roedd o wrth ei fodd yn cyfarfod pobol ac yn sgwrsio efo nhw. Dyn pobol oedd o, wedi arfer ymwneud â phobol gydol yr amser y bu'n gweithio. Mab Castell, Gellioedd oedd o, ac fe gollodd ei fam pan oedd yn ddwyflwydd oed. Bu ei fam, Jemeima, farw yn 35 oed yn 1916 ac fe'i claddwyd ym mynwent Gellioedd. Bu ei dad, Roberts Edwards, mab Erw Dinmael, fyw am 23 mlynedd ar ei hôl a marw yn 1939, blwyddyn fy ngeni i. Colled fawr yw bod heb daid a nain – dim rhyfedd fod gen i gymaint o feddwl o Taid a Nain Pen Brynie.

Yr un enw â'i dad gafodd fy nhad inne, ond bod Cadwaladr yn enw canol iddo fo. Roedd Cadwaladr yn enw teuluol gan fod 'Nhad a 'Nhaid yn ddisgynyddion i Dafydd Cadwaladr, Erw Dinmael, oedd yn cydoesi efo Thomas Charles o'r Bala ac yn ffrind mawr iddo fo. Mi ddysgodd o ddarllen wrth sylwi ar y llythrenne ar y defed o gwmpas ei gartre. Cynghorydd efo'r Methodistied Calfinaidd oedd o, efo'r teitl 'Yr Hybarch', ac yn ôl y sôn, beth bynnag, roedd o'n gallu adrodd y Beibil ar ei gof. Mi fase cof tebyg wedi bod yn help mawr i mi ar hyd y blynyddoedd hefyd! Mae Cadwaladr wedi'i gadw yn y teulu gan fod mab Gweneurys, David Cadwaladr sy'n byw yn Ninbych yn cario'r enw.

Mi ddaeth dwy o ferched Dafydd Cadwaladr yn enwog: Bridget, ddaeth i sylw drwy fod yn forwyn i Arglwyddes Llanofer, yn Llunden a Llanofer, ac Elisabeth, neu Betsi Cadwaladr, yr enwocaf o'r ddwy, a fu'n nyrs yn y Crimea yn ystod y rhyfel yno, ac yn ôl y sôn a ffraeodd efo Florence Nightingale. Mi fu'n byw am gyfnod ar aelwyd John Jones (Jac Glan-y-gors, awdur *Seren Tan Gwmwl* a *Toriad y Dydd*) yn Llunden, ac roedd hi'n honni ei bod yn perthyn iddo fo. Os ydi hynny'n ffaith, yna roedd *o* hefyd yn aelod o'r teulu!

Pan oedd 'Nhad a Mam yn y Gegin Fach yn Ninbych, mi ddaeth yn ganolfan boblogaidd i Gymry Dyffryn Clwyd. Yno y bydden nhw'n cyfarfod am baned a sgwrs pan ddeuen nhw i'r dre, ac mi fydde 'Nhad yno'n dal pen rheswm efo nhw. Câi ei alw yn Bob y Gegin Fach, ac mae'r geirie hynny ar ei garreg fedd.

Yn 1975 fe'i trawyd yn wael iawn a bu'n rhaid iddo fynd i'r ysbyty yn Llanelwy. Doedd o ddim wedi bod yn dda ers tro; fe ffeindiwyd ei fod yn ddiabetig, a hynny braidd yn ddiweddar fel bod yr aflwydd wedi effeithio ar ei galon. Pan oedd o yn yr ysbyty mi gafodd drawiad.

Ar yr un adeg yn union roedd tad Ann yn wael iawn gartre ym Metws-yn-Rhos, ac ar ddydd Sadwrn, 12 Gorffennaf, fe'n galwyd ni i lawr yno gan ei fod yn gwaelu'n gyflym. Roedd rhieni Ann yn byw mewn byngalo ar y ffarm erbyn hynny, a'i brawd Bob a'i briod Marian oedd yn ffarmio. Roedd Bob a fi wedi mynd allan ac yn cerdded y caeau pan gawsom ni ein galw i'r tŷ, ond roedd o wedi mynd fel diffodd cannwyll. Ddwetson ni ddim byd wrth Dad pan aethon ni i'w weld o yn Llanelwy, gan ei fod o'n dila iawn hefyd, ac ar y dydd Mawrth, 15 Gorffennaf, mi fu ynte farw. Y ddau dad felly yn marw o fewn tridiau i'w gilydd. Rhyfedd o fyd.

Ym Metws-yn-Rhos y bu angladd tad Ann, â'r gwasanaeth yn y capel lle roedd o'n flaenor, a'r Parch. Cadnant Griffiths, a'n priododd ni ac a fu'n bresennol yn angladd Hywel, oedd yng ngofal y gwasaneth.

Yn y Capel Mawr, Dinbych, y bu gwasanaeth angladd Dad efo'r Parch. Cynwil Williams yn gwasanaethu, ac mi ddwedodd mai'r unig achlysur arall mewn cyfnod o ddeng mlynedd ar hugien y gwelwyd cymaint o bobol mewn angladd yn Ninbych oedd arwyl y Parch. J H Griffiths, gweinidog yr eglwys. Roedd y capel yn orlawn a llawer tu allan. Roedd cymaint o bobol yn nabod Dad a phawb wedi cael sioc hefyd iddo fynd mor sydyn, yn ddim ond 62 oed. Mi dyrron nhw o bobman, o gefn gwlad

Dyffryn Clwyd, Hiraethog ac Edeyrnion, yn ogystal ag o Ddinbych ei hun. Dyma'r unig dro o fewn cof i'r goleuade traffig ar waelod Stryd y Dyffryn gael eu diffodd gan fod cymaint o geir yn dilyn yr hers ar ei ffordd o'r capel i'r fynwent.

Yn ei goffâd cyfeiriodd y Parch. Cynwil Williams ato fel cymwynaswr a garai'r encilion ac eto a lwyddodd i gymysgu gyda phawb am ei fod yn byw i geisio helpu eraill ar lwybyr bywyd. Ac mi ychwanegodd: 'Cofio'i hynawsedd a hawddgarwch ei bersonoliaeth a wnawn ni heddiw, a'i hoffter o'i deulu ac o gerddoriaeth. Yn wir, teulu o gantorion yw teulu'r Gegin Fach.'

Cyfansoddwyd dau englyn coffa iddo gan ddau o brifeirdd y dref:

Carodd y difrad wladwr – ei aelwyd
A'i deulu'n ddifwstwr;
Tirionaf, hawddgaraf gŵr,
Mynwesol gymwynaswr.

MATHONWY HUGHES

Acenion oer canu'n iach – heddiw sydd
Lle roedd sain amgenach:
O'r bobl ni cheid ei noblach –
Heini fos y Gegin Fach!

GWILYM R. JONES

A'r bedd agosa at un 'Nhad a Mam ym mynwent Dinbych yw bedd Gwilym R a'i briod Myfanwy!

Cwta flwyddyn wedi hynny mi fu farw Eirlys, chwaer ieuenga Mam, gwraig Edwin Derbyshire y ffotograffydd, ac yna ychydig fisoedd wedi hynny, ar 29 Ionawr 1977, bu farw Taid cyn cyrraedd ei bedwar ugien. Does wybod faint oedd marw Eirlys wedi deud arno. Yr hyn fydde'n naturiol yng nghylchdro bywyd fydde i'r plant gladdu eu rhieni; trasiedi bywyd yw nad felly mae hi o bell ffordd, ac mae'r hen bennill telyn yn eitha gwir yn hanes llaweroedd:

Mae gyn amled ar y farchnad
Groen yr oen â chroen y ddafad,
A chyn amled yn y llan,
Gladdu'r ferch â chladdu'r fam.

Mi fu Mam fyw am dair blynedd ar ddeg ar ôl colli Dad a daliodd hi a Gweneurys ati yn y Gegin Fach nes iddi hithau ein gadel yng Ngorffennaf 1988 ar ôl brwydr hir yn erbyn cancr. Wn i ddim a oedd gan hynny rywbeth i'w wneud â'r peth, ond mi gafodd wenwyn bwyd mewn priodas a fuodd hi ddim yn iawn ar ôl hynny. Adre y bu hi farw, â phawb yn ei dro yn gofalu amdani – a Margaret fy chwaer yn arbennig felly.

Mi briododd Gweneurys â Fred Rigby a chan eu bod yn gofalu am y King's Arms yn Stryd y Dyffryn mi benderfynwyd gadel y Gegin Fach a symud y caffi i'r fan honno, gan fynd â'r byrddau, y cadeirie a hyd yn oed y llestri efo nhw er mwyn creu awyrgylch mor debyg ag oedd modd i'r hen le yn y safle newydd.

Fe'i colles hi fel cyfeilydd ar ôl iddi symud, ac er imi fod yn hynod o ffodus yn fy nghyfeilyddion bob amser, eto, roedd ei cholli hi'n golled fawr gan ei bod yn fy neall i'r dim a bod rhyngom y berthynas arbennig yna sy'n bodoli rhwng brawd a chwaer. Ond roedd yn rhaid iddi aros gartre i edrych ar ôl y busnes. Fuo hi ddim yn ffodus iawn yn ei phriodas chwaith. Rai blynyddoedd yn ddiweddarach cafodd afiechyd blin a bu'n ymladd yn ei erbyn am gyfnod hir. Yna, yn Nhachwedd 2004, roeddwn i wedi bod yn Iwerddon efo Gwyn, y mab hyna i weld rhyw wartheg ac wedi hedfan yno o Lerpwl.

Pan gyrhaeddson ni'n ôl yn y maes awyr mi ges i neges i fynd yn syth i Ysbyty Glan Clwyd gan ei bod yn ddifrifol wael. Mi aethon ni ar unwaith, ond roedden ni'n rhy hwyr. Roedd Bethan, cyfnither iddi wedi galw heibio'i chartref a'i gweld yn dihoeni ac wedi galw ambiwlans ar unwaith. Ond, fel y cawsom wybod gan yr ysbyty, bu farw cyn cyrraedd. Gweneurys druan.

Mi alla i ganu 'Pwy fydd yma 'mhen can mlynedd?' ym mhob cyngerdd dwi'n mynd iddo, ac ateb y cwestiwn fy hun bob tro hefyd – neb ohonon ni, gan fod byw – a marw gwaetha'r modd – yn rhan o'r drefn, ac mae fy mhrofiade i mewn bywyd ac ym myd amaethu wedi fy nysgu bod yn rhaid derbyn y drefn. Fel ene mae hi.

PENNOD 6

'Mae fy nheulu'n annwyl imi...'

MAE AMBELL I FLWYDDYN yn sefyll yn y cof yn hanes pawb ohonon ni, a hynny yn amal am y rhesyme anghywir, gwaetha'r modd. Mi fu fy mywyd i mor llawn fel y gallwn nodi unrhyw flwyddyn yn wir a datgan iddi fod yn flwyddyn arbennig. Ond hyd yn oed yng nghanol holl fwrlwm ffarmio a chanu mi fu 1981 yn sicr yn flwyddyn nodedig am sawl rheswm, ac mae'n haeddu pennod iddi hi ei hun, er y bydda i, mae'n siŵr, yn crwydro i bob man cyn ei diwedd.

Mi gychwynnodd pethe'n dda ym mis Ionawr, efo priodas Catherine Eluned, y ferch hynaf efo Geraint Jones o Glasfryn, a hynny yng Nghapel y Gro. Prys, cefnder Geraint oedd y gwas a Rose, chwaer Catherine, a Bethan, nith Geraint, yn forynion. Y Parch. Neville Morris;

ein gweinidog ni yma yn y Gro, a'r Parch. Glynne Hughes, Cerrigydrudion, gweinidog Geraint, oedd yn gwasanaethu, gydag Eleri Thomas yn cyfeilio a Dafydd Evans, y Brithdir, yn arwain y gân. Mi gynhaliwyd y wledd briodas yng ngwesty Woodlands, Bontuchel, efo Mam wedi gneud y gacen, ac yno'n diddanu roedd cyfnither i mi, y gantores a'r delynores Ruth Aled o Lansannan.

Eu cartre cynta oedd 8 Bro Gwerful, y Betws, ac roedd Catherine yn gweithio efo'i nain yn y Gegin Fach, Dinbych, a Geraint yn gweithio yng Ngheirnioge Bach, Glasfryn. Erbyn hyn ma nhw'n byw led dau gae oddi yma ym Mhencraig Bach.

Yn ystod y flwyddyn cynt, yn 1980, mi gyhoeddwyd y record *Un Dydd ar y Tro*, ac roedd hi'n record mewn mwy nag un ystyr. Roedd hi'n cynnwys deuddeg o ganeuon, un ar ddeg yn Gymraeg ac un Saesneg – 'I'll walk beside you'. Y chweched gân arni oedd 'Un Dydd ar y Tro' ond hon ddewiswyd yn deitl, a hon ydi'r gân fwya poblogaidd dwi wedi'i chanu erioed. Prin bod wythnos yn mynd heibio hyd yn oed rŵan, dros chwarter canrif yn ddiweddarach, pan nad ydi Dai Jones yn ei chware i rywun ar ei raglen nos Sul.

Cyfieithiad ydi'r geirie o gân Saesneg 'One Day at a Time' ac rwyf fi'n bendant o'r farn, fel mae llawer un arall wedi deud wrtha i hefyd, fod y geirie Cymraeg yn rhagori ar y rhai Saesneg.

Roedd gan Margaret Edwards ddosbarth ysgol Sul o fechgyn a merched ifanc yng Nghapel y Gro, a'r flwyddyn cyn y record roedden nhw wedi bod yn cystadlu yng Ngŵyl yr ysgol Sul yn Uwchaled. Mi gyfieithodd Margaret y geirie i'r Gymraeg ar gyfer y parti gan ei bod yn gân boblogaidd ar y pryd, ac roeddwn i wedi fy swyno gan y geirie. Roedd tri o'n plant ni, Catherine, Rose a Gwyn, yn y parti bryd hwnnw a falle fod hynny wedi fy ngwneud yn fwy ymwybodol o'r cyfieithiad a champ Margaret wrth drosi'r geiriau i'r Gymraeg.

Mi ofynnes iddi a gawn i eu defnyddio ac wrth gwrs mi roddodd ei chaniatâd ar unwaith. Mae hi wedi bod yn ffrind da ar hyd y blynyddoedd ac ryden ni wedi canu llawer efo'n gilydd, ac yn wir yn dal i gydweithio. Fis Mehefin eleni bu ei chôr, Côr Bro Gwerful, yn canu efo fi mewn cymanfa ganu yn y Rug ger

Corwen, yn ystod penwythnos o weithgaredde i godi arian at y sioe fawr yn Llanelwedd gan mai Clwyd oedd yn noddi, a finne, arswyd y byd, yn llywydd y sioe. Roedd gofyn imi ganu dwy gân, un Saesneg ar 'y mhen fy hun ac un Gymraeg efo'r côr. Y ddwy oedd 'I'll Walk Beside You' ac 'Un Dydd ar y Tro'.

Margaret oedd yn arwain *Dechrau Canu, Dechrau Canmol* o Gapel y Gro ym mis Hydref, a hi hefyd oedd yn arwain y Gymanfa Ganu ar y maes yn Llanelwedd.

Doedd hi ddim yn hawdd cael amser i recordio'r ddisg *Un Dydd ar y Tro*. Efo'r recordie cynt, rhyw bicio i Sain rŵan ac yn y man y byddwn i fel y bydde amser yn caniatáu, a recordio dwy neu dair cân ar y tro. Efo hon, mi wnaed y cyfan ym mis Gorffennaf, yng nghanol y cynhaeaf gwair, a hynny mewn un penwythnos. Dechrau arni bnawn Gwener, wrthi drwy'r dydd ar y Sadwrn – a hynny am ddeuddeg awr, yr un fath ddydd Sul a gorffen bnawn Llun.

Mae amryw o ganeuon poblogaidd arni, gan gynnwys 'Cymru Fach', 'Y Bugail Mwyn', 'Efe a Wylodd', 'Pan Oeddem yn Ieuanc Ein Dau', ac roedd y tîm cynhyrchu, yr offerynwyr a'r *backing* yn swnio fel *Who's Who* yng Nghymru, gydag enwau fel Hefin Elis, Gareth Mitford, Dulais Rhys, Euros Rhys Evans a Pharti Lleu. Ond rydw i'n sobor o falch mai'r unig lun ar gefn y record ydi llun o Gweneurys fy chwaer, oedd yn un o'r cyfeilyddion, a'm cydymaith ffyddlon i mewn cannoedd o gyngherdde ledled Cymru, Lloegr a'r Alban.

Mewn cyfweliad efo Arfon Gwilym mi wnes i ddarogan mai'r gân a roddodd y teitl i'r record fydde falle, oherwydd ei phoblogrwydd, yn gwerthu'r record, ac yn wir felly y bu. Rydw i wedi'i chanu gannoedd o weithie erbyn hyn, ac ers blynyddoedd bellach dwi'n ymwybodol iawn o'r geirie. Doeddwn i ddim ar y dechre. Er 'mod i bob amser yn rhoi sylw mawr i eirio clir, ac yn ceisio canu'n synhwyrol, doeddwn i ddim bob amser yn meddwl o ddifri am yr hyn roeddwn i'n ei ganu. Roedd y cyfan yn dod yn ail natur imi rywsut.

Ond un noson, flynyddoedd yn ôl bellach, roeddwn i wedi canu'r unawd hon mewn cyngerdd yn y Neuadd Fawr yn Aberystwyth ac ar ddiwedd y noson mi ddaeth hen wraig ataf i ddiolch imi. Roedd hi'n wraig annwyl iawn ac yn amlwg yn berson gwael. Mi wasgodd fy mraich wrth ddiolch a deud: 'Do'ch chi ddim yn sylweddoli wrth ganu'r geirie 'na mor wir yden nhw yn 'yn hanes i. 'Wi'n gallu neud dim byd bellach ond byw un dydd ar y tro. Diolch i chi.'

Bob tro ers hynny dwi'n ymwybodol iawn o arwyddocâd y geirie yn yr unawd yna, ac yn sylweddoli fwyfwy ei fod yn wir amdanon ni i gyd. Does ganddon ni ddim hawl na gafael ar yfory, dim ond ar ein heddiw. Mae fy myd wedi'i gyfoethogi'n fawr gan bobol yn dod ataf ar ddiwedd cyngerdd, ac mae rhai geirie o ddoethineb wedi aros yn fy nghof.

Mae cynulleidfaoedd yn gwahaniaethu yn fawr o le i le, gan ddibynnu'n amal ym mha ran o'r wlad y bydda i. Wedi deud hynny, mi gefais i gynulleidfaoedd ym mhobman yn hynod o werthfawrogol, ond mae 'ne siarad ymhlith datgeiniaid am leoedd oeraidd a lleoedd sy'n fwy cynnes i ganu ynddyn nhw.

Mae gan Sir Fôn yr enw o fod yn lle anodd i bawb heblaw i'r rhai sy'n byw ar yr ynys, ond eto, chefais i erioed mo'r teimlad hwnnw fy hun, dim ond croeso a derbyniad da bob amser. Un o'r troeon cynta imi ganu ar yr ynys, dwi'n cofio hen wraig yn dod ata i ar y diwedd a deud: 'Ma'n rhyfadd yma, 'chi, waeth imi ddeud rŵan wrthach chi ddim. Ma pobol Sir Fôn, ma nhw fel hen decall 'chi, ma nhw'n cymryd amsar hir i g'nesu, ond unwath ma nhw wedi c'nesu, ma'r gwres yn aros.' Er, does gen i'n bersonol ddim cof iddyn nhw fod yn hir yn c'nesu, chwaith.

Yn wir, mae dau o'n ffrindie gore ni yn dod o Fôn, sef Beryl a Phil Siddall o Niwbwrch; hi yn gweithio mewn cartre henoed a Phil yn ffarmwr. Beryl wnaeth y cyswllt cynta – ffonio i gael gwybod ble roeddwn i'n canu, a thros y ffôn y bu'r cyswllt yn ystod y blynyddoedd cynnar. Yna, â'r Eisteddfod Genedlaethol yn Sir Fôn, mi drefnodd barti pen-blwydd i mi yng Nglan Traeth, lle cafwyd gwledd go iawn, yn cynnwys cacen ben-blwydd. Wedi hynny mi dynhaodd y cwlwm rhyngddi hi a Phil ac Ann a finne.

Bob tro y bydda i'n canu yng ngwesty Tony ac Aloma yn Blackpool mi fydd hi'n trefnu llond bws o Fôn i ddod yno. Mi gawn ffôn yn amal ganddi i wybod lle dwi'n canu a dros y blynyddoedd fe drefnodd amryw byd o gyngherdde i mi ar yr ynys. Mae hi wedi cyfeilio i mi rai troeon ac rydw inne'n cael cyfle i dalu'n ôl iddi am ei charedigrwydd trwy fynd i ganu i'r cartre henoed pan fydda i yn yr ardal. Gan wybod 'mod i'n Llywydd y Sioe eleni ac yn ceisio codi arian yng Nghlwyd mi gynigiodd werthu tocynne'r raffl fawr ac mi gafodd wared ar ddau gant a hanner o lyfre!

Ac nid dyna ddiwedd y cyswllt. Mae Carwyn, eu mab ieuengaf, un o griw Glanaethwy, yn dechre ar ei yrfa yn y coleg eleni ac yn mynd i'r weinidogaeth. Yn ystod yr haf mi fu'n pregethu yng Nghapel y Gro – canlyniad uniongyrchol ein cysylltiad ni â'r teulu, ac fe ddaeth atom yr eildro ym mis Medi. Bachgen ardderchog ac mi ddyle fo neud yn dda.

Ond i ddychwelyd at y recordie, mi fu'r holl ddarogan am werthiant *Un Dydd ar y Tro* yn wir. O fewn y flwyddyn roedd hi wedi pasio 15,000 ac erbyn hyn mae'r ffigwr hwnnw dipyn dros 35,000, sy wir yn ffigwr anhygoel yn y Gymraeg, ac am gyfnod roedd hi'n gwerthu mwy yn y siope recordie na record ddiweddaraf Abba. Do, cafodd dderbyniad y tu hwnt i bob disgwyl. A dyma ddychwelyd i'r flwyddyn 1981!

Mi benderfynodd Cwmni Sain gyflwyno disg arian am bob record oedd yn gwerthu pum mil o gopïe a disg aur am werthiant o ddeng mil, ac felly cyrhaeddodd *Un Dydd ar y Tro* yr aur. Cyflwynwyd y ddisg i mi yn y Ganolfan ym Mhentrefoelas. Roedd y BBC yn recordio'r gyntaf o gyfres o chwe rhaglen radio *Trebor*, efo Aeryn Jones, Llangwm, a Pharti'r Brenig yn westeion arbennig y rhaglen, ac mi benderfynwyd ei chyflwyno i mi'r noson honno. O ran diddordeb, dyma leoliade a gwesteion y rhaglenni eraill yn y gyfres: Llandyrnog efo Triawd Menlli, Aberafan efo Aled Gwyn a Chantorion Afan Glee, Dolywern, Glyn Ceiriog efo Merfyn Davies a Chôr Meibion Glyn Ceiriog, Canolfan Glantwymyn efo Tom Evans (Tom Gwanas) a Chôr Meibion Powys, a'r Parc efo Mair Penri a Pharti Llafar.

Eleni, yn yr Eisteddfod Genedlaethol yng Nghaerdydd mi gyrhaeddodd Aeryn, gwestai'r rhaglen gynta, binacl ei yrfa fel adroddwr trwy ennill gwobr Goffa Llwyd o'r Bryn. Go dda fo.

Y caneuon y gwnes i eu canu'r noson honno ym Mhentrefoelas oedd 'Pistyll y Llan', 'Un Dydd ar y Tro', 'Bugeilio'r Gwenith Gwyn', a 'Iesu, Iesu, Rwyt ti'n Ddigon'. Mi wnes i hefyd ganu deuawd efo Margaret Edwards, sef 'Cof am y Cyfiawn Iesu'.

Roedd cyflwyno'r ddisg aur yn rhan o'r rhaglen a Huw Jones, un o sefydlwyr a chyfarwyddwyr Sain a'i cyflwynodd hi i mi. Mi ddwedodd o mai dyna'r record oedd wedi gwerthu fwyaf ers sefydlu Cwmni Sain yn 1969. Cyn hynny, record gynta Hogia'r Wyddfa oedd ar y brig, gyda dros 12,000 o werthiant.

Yn yr achlysur hwn ym Mhentrefoelas, mi wnes inne gyflwyniad y noson honno hefyd. Roeddwn i wedi prynu hambwrdd arian i Gweneurys i nodi'r achlysur ac mi wnes i ei gyflwyno iddi yn y fan a'r lle, gan nad oeddwn i'n teimlo iddi gael digon o sylw. Hi, wedi'r cyfan, oedd wedi fy nghynnal drwy'r holl gyngherdde, wedi cadw fy nghanu ar y llwybr cywir, wedi dod efo fi i bobman, a hynny'n golygu cryn aberth yn amal. A hithe wedi'n gadel ers 2004, dwi'n hynod o falch imi neud yr hyn wnes i a dwi'n gwybod iddi hithe werthfawrogi hynny'n fawr. Ganol Ebrill y digwyddodd y cyflwyniade hynny. Amseriad perffeth i Ann gan ei bod wedi gorfod cael dillad newydd ar gyfer priodas Catherine ryw dri mis ynghynt!

Mae angen rhyw ddillad arbennig yn amal

ar gyfer pob math o achlysuron, er ddim cymaint erbyn hyn gan fod gwisgo wedi dod yn rhywbeth llawer llai ffurfiol. Crys a thei neu dei bo a siwt ydi fy nillad arferol i wrth ganu'n gyhoeddus, a'r tei'n cael ei dynnu yr eiliad y bydda i wedi gorffen. Mi fues i'n prynu dillad yn lleol, ond erbyn imi fynd ar rai rhaglenni teledu megis *Noson Lawen*, roedd cael dillad addas yn rhan o'r job fel petai. Mi fydde'n rhaid mesur yn ofalus a chael dillad priodol ar gyfer y rhaglen, ac mi gadwodd hynny fi mewn dillad am flynyddoedd lawer. Pacio'r crys a'r tei a hongian y siwt yn y car ydi'r drefn bob tro yr af oddi cartre. Ond unwaith, a finne'n canu ymhell o gartre, yn rhywle yn Lloegr, mi anghofies fy nghrys. Ond rydw i'n crwydro...

Flwyddyn a hanner cyn y cyflwyno ym Mhentrefoelas roedden ni wedi mynychu achlysur 'dillad sbesial' pan gawsom ein gwahodd i arddwest ym Mhalas Buckingham. Doedd gan fy nghanu na fy ffarmio i ddim byd i'w wneud â hynny, ond roeddwn i'n gadeirydd y cyngor plwy ar y pryd, ac achlysur i anrhydeddu cadeiryddion yr holl gynghore plwy yng Nghymru a Lloegr oedd o. Roedd y gwahoddiad yn wahoddiad i'r ddau ohonon ni, Ann a finne, ond y cerdyn yn nodi fy ngwisg i'n unig – *Morning Dress, Uniform or Lounge Suit*. Fi'n cael y gwahoddiad ac Ann yn cael dod yn fy sgil gyda'r hawl i wisgo unrhyw beth, mae'n ymddangos. Ond mae'n debyg y bydde'r un peth wedi digwydd fel arall rownd tase hi'n gadeirydd a finne'n cael mynd yn ei chysgod.

Doedd y te yn fawr o de mewn gwirionedd – brechdane bach heb grystyn yn agos atyn nhw, cacen fach a the mewn cwpan fach. Fues i ddim yn siarad efo neb o bwys a chefais i ddim sgwrs efo'r Frenhines chwaith, dim ond ysgwyd llaw! Roedd 'ne gannoedd yno ac mi gawsom gwmni cymdoges inni ar ein taith i Lunden, sef Mrs Currie, oedd yn dod o'r ddinas honno ac wedi dod i fyw i'r Foty Newydd. Mi gawson ni ein tri aros efo'i merch y noson cyn y te. Lwcus iawn.

Lwcus ei bod efo ni ar y ffordd adre hefyd gan i'r car dorri i lawr yn fuan ar ôl inni gychwyn o Lunden. Gan ei bod hi'n aelod o'r AA fe'i ffoniodd ac mi ddaethon nhw ar unwaith. Doedd Ann a fi ddim yn perthyn, ond yn ôl Mrs Currie roedd y ffaith fod un person yn y car yn aelod yn ddigon. Ond rhag ofn na fyddai hynny'n wir, mi gymerodd arni mai hi oedd biau'r car!

Ganol y flwyddyn mi ddigwyddodd rhywbeth nad oedd yn ddim i'w neud â ffarmio a chanu. Mi aeth siop Morgan and Davies yng Nghorwen ar werth. Siop dillad dynion oedd hi a'r Morgan yn yr enw oedd John Morgan, gŵr Elena Puw Morgan y nofelwraig enwog, awdur *Y Graith* ac *Y Wisg Sidan*.

Roedd y perchnogion gwreiddiol wedi marw ers amser a phan ddaeth y siop ar werth, mi gafodd y Parch. Ifan Lynch, Carrog, y syniad y gellid ffurfio cwmni lleol i'w phrynu rhag iddi fynd i ddwylo estron. Gwion Lynch, y mab, gafodd y dasg o chwilio am rai fydde'n fodlon ymuno a chyfrannu at ei phrynu, a'r nod oedd cael hanner cant o gyfranddalwyr i sefydlu'r cwmni.

Ac fe'u cafwyd, gyda dau enw ambell dro yn cyfri fel un. Mae gormod o enwe i'w cynnwys yma, ond yr un cynta ar y rhestr oedd Arthur Thomas, Porthmadog erbyn hyn, mab Richie Thomas, y tenor enwog o Benmachno, a cholofnydd cyson yn *Y Cymro*. Yr enwe olaf yw dau o deulu Gari Wyn, 'Ceir Cymru', sef Hedd Gwyn a Sarah Catherine Jones, Glasfryn, Corwen. Mi brynes inne siâr yn y fenter.

Cwmni Treferwyn oedd yr enw swyddogol

ar y cwmni a Siop Treferwyn oedd yr enw newydd ar y busnes. Mi ffurfiwyd pwyllgor gyda D Tecwyn Lloyd yn llywydd, Gerallt Tudor yn is-lywydd, Cefin Williams (sy'n gynghorydd sir dros Gynwyd a Llandrillo erbyn hyn) yn drysorydd, a Gwion Lynch, un o sgriptwyr *Pobol y Cwm*, yn ysgrifennydd.

Y bwriad oedd cadw rhan o'r siop i werthu dillad a datblygu'r rhan arall i werthu cardie a llyfre Cymraeg. Mi lwyddwyd i drefnu rota o bobol i weithio ynddi a bu'n llwyddiannus ar y dechre. Ond buan iawn yr aeth y dillad yn rhy hen ffasiwn, a doedd dim modd cystadlu efo siope mawrion Wrecsam a Chaer wrth i'r lleoedd hynny ddod fwyfwy yn gyrchfan siopa'r trigolion. Roedd 'ne brobleme hefyd wrth drio gweithredu system rota i edrych ar ôl y siop.

Yn y diwedd mi benderfynwyd nad oedd dim i'w neud ond ei gwerthu, a'i chynnig yn y lle cynta i aelode'r cwmni a hynny ar delere mwy ffafriol na thelere'r farchnad agored. Doeddwn i ddim am ei gweld yn disgyn i ddwylo estron, felly dene gynnig amdani, gan feddwl yn siŵr y bydde rhywun neu rywrai eraill wedi gneud yr un peth ac y bydde modd sefydlu partneriaeth falle. Mae gweithio mewn partneriaeth wedi bod yn rhan o 'mywyd i erioed – efo Gwil Llwyn, efo John Baldwin a Miles Crawley, efo 'mhlant – a doedd meddwl am y posibilrwydd hwnnw'n poeni dim arna i.

Yn anffodus, neu'n ffodus, wn i ddim, cheisiodd neb arall o'r hanner cant amdani, ac felly mi ddaeth yn eiddo i mi ac Ann. Bellach mae'r siop yn gaffi, Caffi Treferwyn, ac er nad ydi gwerthiant llyfrau Cymraeg mor amlwg ag y bu, mae 'ne gysylltiad o hyd efo'r Cyngor Llyfrau, a gweithredu i ymateb i geisiade gan unigolion ac ambell ysgol. Does dim angen gwerthu cardie Cymraeg yno bellach gan fod dwy siop o leia yng Nghorwen yn eu gwerthu. Falle i Siop Treferwyn fod yn lefain yn y blawd yn hynny o beth.

Ann, a Catherine y ferch hyna, sy'n rhedeg y caffi, â'r lle'n dibynnu fwyfwy ar Catherine ers i Ann fod yn sâl. Mae'n lle poblogaidd iawn, gyda llawer yn galw heibio a'r bobol leol yn falch o fan cyfarfod i roi'r byd yn ei le pan fyddan nhw'n siopa yng Nghorwen.

Tua'r un amser ag roedd y siop yn mynd ar werth, rywdro yng nghanol Mehefin, mi ddaeth llythyr swyddogol iawn oddi wrth Jâms Nicholas, y cyn-athro yn ysgol y Bala, a Chofiadur Gorsedd y Beirdd, yn fy hysbysu 'mod i wedi cael fy ethol yn aelod er anrhydedd i'r wisg werdd, ac y byddwn yn cael fy urddo yn Eisteddfod Machynlleth ar y bore Iau. Mi ofynnwyd i mi anfon hyd at dri enw 'ar fyrder' ar gyfer fy enw 'yng Ngorsedd'.

Roeddwn i'n teimlo'n falch iawn o'r anrhydedd ac mi ddewises yr enw 'Trebor o'r Bryniau' gan fy mod yn byw yn Pen Brynie a bod y ffarm yn golygu cymaint imi.

Yn fuan wedi'r llythyr hwnnw mi ges un arall gan D Hugh Thomas, ysgrifennydd aelodaeth Llys yr Eisteddfod, yn nodi mai £4 y flwyddyn oedd y tâl aelodaeth i ymuno â'r Llys neu £40 am aelodaeth oes. Mi ddewises yr olaf – un peth llai i gofio amdano fo bob blwyddyn.

Roedd Jâms Nicolas wedi newid o fod yn Gofiadur i fod yn Archdderwydd erbyn yr eisteddfod a fo ddaru fy urddo. Mi ges i gwmni sawl un arall a urddwyd yr un pryd â mi, Hywel Gwynfryn yn un, a'r diweddar Ray Gravell yn un arall. Roedd Arthur Rowlands, y plismon a saethwyd yn ei lygaid ger Pont-ar-Ddyfi a Geunor ac Eleri, y ddwy chwaer o'r Sarne, hefyd ymhlith y Gorseddogion newydd. Ac roeddwn i'n sobor o falch fod un roeddwn i

wedi canu gymaint efo hi – Margaret Edwards
– wedi ennill ar yr unawd cerdd dant agored yn
yr eisteddfod honno. A gyda llaw, dau hogyn
ifanc, Bryn Terfel a John Eifion, enillodd y
ddeuawd cerdd dant.

Dwi'n cofio'r glaw y dydd Iau hwnnw a
dwi'n cofio'n arbennig un cyfweliad ges i. Y fi
ac Ann yn y car a Mari Lewis, y wraig oedd yn
sgrifennu i'r *Herald Cymraeg*, yn ein cyf-weld.
Dyma ran o'i hadroddiad hi yn yr *Herald* yr
wythnos ganlynol:

> Fore Iau yr Eisteddfod oedd hi – finnau yn
> eistedd ym modur Mr Trebor Edwards i sgwrsio
> gydag ef a Mrs Edwards – yng nghanol glaw
> trwm. Yr oedd Trebor Edwards newydd gael
> ei urddo er anrhydedd yn aelod o Orsedd y
> Beirdd... Gofynnais, 'Fuoch chi'n canu yn
> rhywle neilltuol yn ddiweddar?' Atebodd, 'Bûm
> yn canu yn y Noson Lawen yn yr ysgubor yn
> Lleuar Bach, cartre Alan, pencampwr y cŵn
> defaid.' 'A chartref Medwen ei briod a'm merch
> innau,' atebais.
>
> Bore cyn cael ei urddo roedd Trebor Edwards
> yn dathlu ei ben-blwydd, a Hywel Gwynfryn yn
> ei longyfarch y bore hwnnw ar y radio a deud o

ran ysmaldod ei fod yn hŷn o lawer, ac meddai Trebor Edwards wrthyf: 'Wyddoch chi be Mari Lewis, mae Hywel Gwynfryn gyda'i hiwmor a'i sirioldeb wedi gwneud mwy na neb i'm helpu ymlaen. Achos trwy reddf megis y bydda i'n canu – i'r gwartheg a'r anifeiliaid a phawb – dim ond canu yn braf o'r galon.'

'Wnewch chi roi cân i mi rŵan?' Ac ar fy nghais canodd yn ei fodur yng nghanol y glaw fy ffefryn i, sef yr emyn cymun:

Bara angylion Duw dry'n fara plant y llawr,

Nefolaidd fara rydd Oleuni mwy na'r wawr...

Geiriau Cymraeg John Eilian o'r Lladin. Mi deimlais y gallwn farw wrth wrando ar Trebor Edwards a'i lais aur!'

Wnaeth hi ddim, diolch am hynny! Mi fu hi byw am flynyddoedd wedyn! Gwraig arbennig iawn ac yn fam yng nghyfraith i Alan Jones – pwy fase'n meddwl?

Coffa da amdano yntau, un o ragorolion y ddaear. Dwi'n cofio Hywel Gwynfryn yn tynnu fy nghoes ynghylch fy oed hefyd. Wel, dydi o ddim yn spring chicken erbyn hyn, mwy na finne!

Roedd cael fy urddo i'r Orsedd yn brofiad arbennig, fel roedd cael fy ngwahodd i ganu cân y cadeirio yn Eisteddfod Bro Delyn yn 1991, â Margaret Edwards (Rhian yr Alwen) yn canu cân y coroni. Dene roi Betws Gwerful Goch ar y map go iawn y flwyddyn honno.

Mae'r Eistedfod Genedlaethol wedi golygu llawer i mi erioed, a'r garafán yn amal yn cael ei gosod ar y maes carafanau. Adeg Eisteddfod Machynlleth oedd hi pan ddaeth yr helynt efo Equity i olau dydd – dyma'r undeb mae perfformwyr o bob math, yn gantorion ac actorion a diddanwyr, yn perthyn iddo.

Yn gynharach yn y flwyddyn roeddwn i wedi cael gwahoddiad i wneud cyfres o raglenni i HTV ar gyfer S4C, ond cyn y gallen nhw gael eu darlledu roedd yn rhaid imi gael cerdyn Equity, ac mi gododd trafferthion efo pwyllgor Cymru, oedd yn gwrthwynebu imi gael un. Doeddwn i ddim yn ganwr proffesiynol a doeddwn i ddim eisiau bod. Roeddwn i wedi gwrthod sawl cynnig i berthyn i asiantaeth lle bydde rhywun arall yn trefnu fy nghyngherdde a'm ffïoedd. Roeddwn i eisiau cadw rheolaeth ar bethe fy hun.

Roedd pwyllgor Cymru o Equity yn deud

bod yn rhaid imi ganu hyn a hyn o weithie o dan amode proffesiynol cyn cael cerdyn, ond y drafferth oedd na chawn i wneud hynny heb fod gen i gerdyn. Roedd hi'n *catch-22* bron cyn i'r dywediad ddod i fod.

Mi ges i gefnogaeth rhai pobol amlwg ym myd adloniant ac mi arwyddwyd fy nghais am gerdyn gan Alun Williams o'r BBC a Gari Williams, yr annwyl Gari. Mi ddaeth y cerdyn yn fwya disymwth yn y diwedd gan fod eraill hefyd yn ymladd y frwydr ar fy rhan, ac un yn arbennig, sef Owen Edwards, pennaeth S4C ar y pryd.

Mi ddaeth o â'r helynt i olau dydd yn Eisteddfod Machynlleth mewn fforwm a gynhaliwyd gan S4C pan fu gwrthdaro rhyngddo fo a swyddogion Equity, ac mae erthygl yn *Y Cymro* ar 11 Awst 1981 gan Arfon Gwilym yn croniclo'r hanes. Wrth gyfeirio at yr anhawster o gael tocyn i mi, fe ddwedodd Owen Edwards ei fod yn benderfynol o roi cyfle i ddoniau newydd, ifanc, disglair ac nad tocyn aelodaeth Equity oedd yr unig faen prawf i sicrhau safon, dawn na phroffesiynoldeb. Mi addawodd y byddwn i'n cael canu yn fy nghyfresi fy hun er gwaetha honiad hunanol

Equity (ei eiriau ef) na ddylwn fod yn cael canu am mai ffarmwr yn hytrach na chanwr oeddwn i.

Mi nododd hefyd nad Equity yn Lloegr oedd y broblem ond pwyllgor Cymreig yr undeb yng Nghaerdydd. Aeth ymlaen i ddeud: 'Chaiff Equity mo'n rhwystro rhag darparu gwasanaeth mae'r bobol am ei gael. Dwi'n deall beth sydd wrth wraidd agwedd Equity ac mi alla i eu sicrhau nhw fy mod mor benderfynol â nhw i gynnal a chadw a chryfhau safon rhaglenni teledu Cymraeg. Mi fydd yna fwy o waith teledu yn Gymraeg nag erioed o'r blaen i unrhyw actor neu berfformiwr gwerth ei halen.'

Fe'i beirniadwyd gan Lywydd Anrhydeddus yr Undeb yng Nghymru, Meredith Edwards, am godi 'ei ddyrnau i fyny' tra bo trafodaethau yn parhau. Ond mi lwyddodd i gael y maen i'r wal, beth bynnag, gan imi dderbyn cerdyn Equity heb orfod brwydro dros ei gael. Ac yn fuan iawn mi fu o fantes ariannol sylweddol i mi, mewn un achos yn arbennig.

Yn 1985 gofynnodd HTV i mi gyflwyno cyfres o raglenni teledu hanner awr yr un dan yr enw Trebor ar gyfer S4C, ac roedd recordio'r rhaglenni hyn yn brofiad newydd sbon i mi. Yn un peth, doeddwn i ddim yn gyfarwydd iawn â stiwdio deledu, gan fod y rhan fwya o 'nghanu yn digwydd mewn neuadde ac o flaen cynulleidfaoedd, a'm rhaglenni teledu hefyd yn y gorffennol wedi eu recordio mewn neuadde felly. Profiad newydd arall oedd canu i gyfeiliant cerddorfa fechan o ddwsin o gerddorion proffesiynol, yn hytrach na chyfeiliant piano yn unig. Mi ddois i arfer ac i arfer hefyd efo awyrgylch oeraidd stiwdio deledu a'r angen i ail a thrydydd ganu er mwyn cael perffeithrwydd. Roedd recordio i Sain wedi rhoi peth o'r profiad hwnnw imi, beth bynnag.

Doeddwn i ddim yn cynnal yr hanner awr fy hun, na, roedd gen i westai arbennig ym mhob rhaglen, sef canwr neu gantores ifanc – pump ohonyn nhw – ac un côr. Yr unawdwyr eraill oedd Yoland Jones, y soprano o Geredigion; Robert Wyn Roberts, bariton sy bellach yn brifathro Ysgol Gynradd Llandygai, Bangor; Iona Stephen Williams, oedd wedi ennill Rhuban Glas yr Ieuenctid yn Eisteddfod Genedlaethol Llangefni y flwyddyn cynt ac enillydd Gwobr Goffa David Ellis (y Rhuban Glas) flynyddoedd yn ddiweddarach yn

Eisteddfod Genedlaethol Bro Ogwr yn 1998; David Gwesyn Smith, oedd yn canu ar y pryd yn Covent Garden; a'r soprano Meinir Williams o Dywyn, enillydd Ysgoloriaeth Towyn Roberts yn Eisteddfod Llangefni. Y côr oedd Cantorion Richard Williams. Roeddwn i'n canu'r gymysgedd arferol o ganeuon ac emynau poblogaidd, gor-deimladwy yn ôl rhai, a'r gwesteion yn canu caneuon mwy clasurol; dene oedd y patrwm ym mhob rhaglen.

I gyd-fynd â'r rhaglenni ac i ffurfio cefndir i fy nghanu, fe'm ffilmiwyd mewn gwahanol fanne, yn arbennig felly o gwmpas fy nghartref ym Mhen Brynie. Ar gyfer un olygfa roeddwn i'n gorfod canu wrth farchogeth ar gefn ceffyl. Roedd y geirie yn dipyn o broblem ac felly mi ddarparwyd *idiot board* ar fy nghyfer, a golygfa od ar y naw oedd gweld un person yn marchogeth o'm blaen efo clamp o *idiot board* ar ei gefn a'r geirie wedi'u sgrifennu mewn llythrenne bras arno, a finne'n dilyn yn marchogeth ceffyl arall ac yn canu. Camp y dyn camera oedd fy ffilmio i ac nid y person arall, a hynny heb ddod rhwng y ddau geffyl.

Nid dene'r unig ddigwyddiad cofiadwy, roedd gwaeth – neu well – i ddod. Un pnawn roedd y criw ffilmio wrthi a finne'n eistedd efo Sbot y ci ar y glaswellt, yn ffilmio cefndir ar gyfer fy nghân 'Yr Hen Shep' mae'n debyg, pan wnes i sylweddoli bod y criw camera yn chwerthin fel pethe gwirion. Dene droi i weld be oedd yn digwydd a sylwi ar Sbot yn llithro wysg ei din i lawr y llechwedd, gan grafu ei hun yn y llawr fel pe bai ei ben-ôl ar dân. Roedd y dyn camera yn ddigon sydyn i ffilmio'r holl olygfa, ac wedi iddo orffen mi ddwedodd y cynhyrchydd fod 'ne ddarn gwerthfawr o ffilmio wedi'i gostrelu yn y camera y diwrnod hwnnw.

Wnaeth y darn ffilm hwnnw ddim ymddangos ar yr un o'r rhaglenni, ond fe'i anfonwyd i Lundain, ac un diwrnod, yn hollol ddisymwth, mi ges i alwad ffôn gan un o griw cynhyrchu'r rhaglen *It'll be Alright on the Night*, y rhaglen o gamgymeriade a throeon trwstan a gyflwynid gan Dennis Norden. Pwrpas yr alwad oedd deud eu bod yn bwriadu defnyddio'r clip ffilm a'u bod yn gofyn am fy nghaniatâd. Gofynnwyd i mi hefyd oeddwn i'n aelod o Equity. 'Yes, I am, but the dog isn't,' medde fi.

A deud y gwir, doedd o fawr o gi, er bod llawer wedi meddwl mai Shep oedd o! Ond mi dalodd yr hen foi ar ei ganfed, chware teg iddo fo, ac mi gefais £224 am roi i London Weekend Television yr hawl i ddangos y clip ar y rhaglen. Eu disgrifiad hwy o'r hyn fydde'n cael ei ddangos oedd: *Sheepdog slides down hill on its bottom while Trebor Edwards sings!* Dwi'n cael arian bob tro y dangosir y clip, a daeth symie amrywiol o wahanol ranne o'r byd, yn amrywio o'r £224 gan LWT i 53 ceiniog o wlad arall. Mi ydw i'n hoffi meddwl i Sbot gael tipyn amgenach bwyd o hynny ymlaen yn hytrach na gorfod byw ar y sbarion arferol am weddill ei oes.

Roedd ymateb y gwylwyr yn ddiddorol iawn. Mi ges i sawl paced o bils a phowdrach o bob math drwy'r post gan wahanol bobol yn awgrymu bod llyngyr ar y ci! Rhai o ddifri, ond fydde pawb ddim yn deud pwy oedden nhw chwaith, a dwi'n dal i ame ambell un!

Diddorol hefyd oedd ymateb pobol o bob rhan o'r byd, efo amryw o wledydd pell fel America yn holi ai fi oedd y dyn yn y ffilm efo'r ci? Dwi'n meddwl weithie fod un cipolwg o Sbot yn llithro ar ei ben-ôl i lawr y llechwedd wedi rhoi mwy o boblogrwydd i mi na'r holl ganu dwi 'di'i neud. Mae sylw iddo fo hyd yn oed ar y we, gan rai na wn i yn y byd pwy yden nhw, wrth iddyn nhw ymateb i'r rhaglen *It'll be Alright on the Night*. Dyma dri, wedi'u cofnodi'n union fel ma nhw ar y wefan:

> I'm sure that shepherd's a welsh singer called trebor edwards, and 'y buigal mwyn' (sic) means the gentle shepherd in welsh.

> Most of that was poor. The dog wiping its ass on the grass was comedy gold.

> The dog with worms is a classic. Last seen in 1989, often talked about.

Rhyfedd fel mae digwyddiade'n gallu pontio'r blynyddoedd. Ddechre haf eleni (2008) mi ddaeth cwmni teledu Avanti i'r Betws i ffilmio dwy raglen i S4C ar gyfer y gyfres *Dechrau Canu, Dechrau Canmol* ac mi ddaethon nhw yma i recordio sgwrs efo fi. Roedd y dyn camera'n cofio iddo fod ym Mhen Brynie flynyddoedd yn ôl – y fo oedd wedi ffilmio Sbot yn llithro i lawr y llechwedd!

Mae'n bosib iawn mai cael fy urddo yn yr eisteddfod oedd uchafbwynt y flwyddyn 1981 i mi, ond o safbwynt fy ngyrfa fel canwr, digwyddodd rhywbeth cyn bwysiced, os nad pwysicach, ym mis Hydref yr un flwyddyn.

Roeddwn i'n un o'r rhai oedd yn cymryd rhan mewn cyngerdd yng Nghydweli, mewn pabell fawr ar dir garej Gravelle. Doedd dim yn anarferol yn hynny, ond yn y gynulleidfa roedd Ellis Richards a Margaret ei wraig, a nhw oedd perchnogion busnes Richards Travels, busnes gwerthu gwylie efo siope yn Llanelli, Caerfyrddin a Llanbed.

Daeth Ellis ataf ar y diwedd a gofyn a fyddwn i'n barod i ystyried mynd ar fordaith, i ganu i'r teithwyr. A finne'n cofio 'mod i wedi addunedu na faswn i byth yn gwrthod cynnig o'r fath ar ôl i mi neud hynny'r tro cynta, mi atebes y bydde diddordeb gen i, gan gredu'n wir na chlywn i ragor am y peth, gan fod cymaint o bobol yn gofyn pob math o bethe o dro i dro, a finne'n clywed dim ganddyn nhw wedyn.

Ond roedd pethe'n wahanol y tro yma. O fewn ychydig ddyddie roedd Ellis wedi fy ffonio i ofyn a fyddwn i'n barod i fynd â grŵp o bobol efo fi ar fordaith ar y *Canberra*. Mi drefnodd i'm cyfarfod i a phobol eraill alle fod â diddordeb yn y daith, ac mi gynhaliwyd dau gyfarfod efo fo, un yn Ninbych a'r llall ym Mangor, lle roedd o'n sôn am y teithie a wnaed eisoes, ac yn dangos llunie ohonyn nhw. A dene gychwyn cyfres o deithie sy wedi parhau hyd heddiw!

Mis Hydref oedd hi pan ddigwyddodd hyn, ond doedd prysurdeb y flwyddyn ddim ar ben. Mi gafodd yr Urdd drafferthion ariannol mawr yn ystod 1981 ac roedd angen ymdrechion arbennig i gadw pen y mudiad uwch y dŵr. Un o'r cynllunie gafodd ei ddatblygu i godi arian mewn sawl rhan o Gymru oedd 'Ymgyrch Oen i'r Urdd'. Mi es i ati efo Emrys Jones, Pen-y-bont (Emrys Llangwm), i gasglu ŵyn a threfnu eu gwerthu ym marchnad Rhuthun. Mi gasglwyd 34 ac fe'u gwerthwyd am £900 – tua'r un pris, gyda llaw, ag a geir am ŵyn heddiw. Dene fesur y dirywiad sy wedi digwydd mewn prisie amaethyddol. Mi gyfrannodd rhai ffermwyr arian yn hytrach nag oen ac mi gasglwyd cyfanswm o £1,200.

Mi gafodd yr ymgyrch hwb hefyd pan gyflwynodd Hywel Gwynfryn raglen am y gwerthu o Bafiliwn Corwen. Mi fu'n rhaid i mi ymddangos ar y rhaglen efo dau neu dri oen, ac mi ges i'r cyfle mewn ambell gyngerdd hefyd, megis Llanfair Caereinion, i sôn am yr ymgyrch. Mi ddaeth yr Urdd drwy'r argyfwng yn iach, diolch i'r drefn, ac mae o'n fudiad mae gen i feddwl mawr ohono, fel Mudiad y Ffermwyr Ifanc. Llawenydd mawr i mi fu llwyddiant Aelwyd Bro Gwerful dros y blynyddoedd o dan arweiniad Margaret.

Mi gychwynnodd y flwyddyn ar nodyn uchel – priodas Catherine a Geraint; cyn ei diwedd cafwyd uchafbwynt arall pan aned ein hŵyr cynta, Trebor Huw, gan wneud Nain Abbey Court yn hen, hen nain, fy mam yn hen nain, fi ac Ann yn daid a nain, a Catherine a Geraint yn rhieni. Huw, felly, oedd y cynta i sefydlu, yn ein teulu ni, bum cenhedlaeth. Ond nid y fo oedd yr ola, gan fod Nain Abbey Court a fy mam yn dal yn fyw pan anwyd dau blentyn arall i Catherine a Geraint, sef Llion ac Alwen, a hefyd ddau fachgen i Rose a Hywel, sef Haydn Glyn a John Clement.

Pump oed ydi Lea Erfyl, yr ieuengaf o'm hwyrese, a'r dydd o'r blaen mi ges i bryd o dafod ganddi. Roeddwn i wedi bod yn canu'r gân 'Diolch' sy'n cynnwys y geirie 'Mae fy ngwreiddie 'Mhen y Brynie... ', ac roedd hi wedi fy nghlywed. 'Does gen ti ddim hawl canu'r gân ene,' medde hi, 'fi sy'n byw ym Mhen Brynie, nid y ti.' Ac wrth gwrs mae hi'n iawn.

Yn Bryn Alaw yr ydw i ac Ann yn byw, sef tŷ ar dir y ffarm. Ac mi ges i ddigon o drafferth hefyd cyn cael hawl cynllunio i'w adeiladu!

PENNOD 7

'Bûm fugail
i'r defaid a'r ŵyn...'

Mae Gwilym Thomas, Gwil Llwyn, a finne wedi gneud llawer o bethe efo'n gilydd erioed: canu deuawde mewn cyfarfodydd bach a chymdeithas y capel, carafanio yn y Steddfod a'r Sioe, ac ym myd ffarmio, mynd yn bartneried i brynu ŵyn, eu pesgi a'u gwerthu.

Roedd y cynllun yn un eitha syml, ond yn gweithredu ar raddfa reit fawr. Prynu ŵyn ym mis Medi, ŵyn rhyw chwech i saith mis oed, eu gosod allan i bori tan Ionawr a Chwefror ac yna eu gwerthu fel ŵyn tewion i'r farchnad gig. Gwil a fi ddechreuodd y cynllun ond yn fuan iawn mi daeth Gwyn, fy mab hyna, ac Iwan, ei fab ynte yn ddigon hen i gymryd eu lle yn rhan o'r busnes.

Mi fydden ni'n prynu tua pum mil o ŵyn,

mewn marchnadoedd lleol ac yn y Trallwm a Dolgelle, ac yn uniongyrchol oddi ar ffermydd dros ardal eang – cyn belled â Llandrindod. Yna, mi fydden ni'n eu cludo mewn lorïau i ardal Whitchurch a Nantwich i bori ar gaeau gwastad ffermydd yr ardal honno. Cysylltu efo un ffarmwr i ddechre ac ynte'n ein cyfeirio at nifer o ffermwyr eraill, ac roedd y cynllun yn eu siwtio nhw i'r dim hefyd. Ffermydd gwartheg godro oedden nhw, ac mi fydde'r buchesi i mewn ym mis Medi a'r caeau felly ar gael i'w gosod allan i bori. Talu fesul y pen fydden ni, rhyw bum ceiniog i ddeg ceiniog ar hugien. Mi weithiodd y cynllun yn dda am rai blynyddoedd, nes i glwy'r traed a'r genau roi terfyn ar gludo anifeilied o le i le ac ar ein cynllun ninne.

Mi fu ffermwyr yr ardal honno'n hynod o garedig a chydweithredol, ac er mwyn talu'n ôl iddyn nhw am eu caredigrwydd mi gytunes i drefnu cyngerdd yn y neuadd yn Whitchurch. Roedd hi'n dipyn o jôc ganddyn nhw beth bynnag 'mod i'n canu, a chawn fy ngalw yn *singing shepherd* a phethe felly, er dwi ddim yn meddwl mewn gwirionedd fod pob un ohonyn nhw'n fy nghoelio i.

Roedd Gwil Llwyn yn aelod o Gantorion Gwalia, a thrwyddo fo mi wnes i drefnu i'w cael nhw, dan arweiniad Rhys Jones, i ddod efo fi i gadw'r cyngerdd, ac mi gafodd y gynulleidfa y noson honno ddwy sioc. Mi gawson nhw sioc 'mod i'n gallu canu wedi'r cwbwl, ar ôl yr holl dynnu coes, ac mi gawson nhw fwy o sioc, dwi'n meddwl, pan glywson nhw sain y parti, oedd yn ddigon bron i godi to'r neuadd, gan mai parti yn cynnwys nifer helaeth o unawdwyr oedd Cantorion Gwalia, bois y lleisie mawr. Ar ôl hynny mi fues i'n cynnal amal i gyngerdd yno, a hwythau erbyn hynny'n trefnu er mwyn codi arian ar gyfer achosion da.

Mae neuadd y dre yn Whitchurch yn fangre arbennig hefyd oherwydd ei chysylltiad ag Edward German, y cerddor. Edward German Jones oedd ei enw llawn ond mi ollyngodd y Jones pan ddatblygodd o fel cyfansoddwr ac arweinydd. Yng nghyntedd y neuadd mae cas gwydr mawr ac oddi mewn iddo mae'r siwt y bydde fo'n ei gwisgo pan fydde fo'n arwain.

Mi sonies i y bydde Gwil Llwyn a finne yn gneud llawer efo'n gilydd, wel, yn 1986, mewn pleidlais yng Nghapel y Gro mi ddewiswyd y ddau ohonon ni'n flaenoried. Mi gytunodd o, ond gwrthod wnes i, a hynny am fy mod i ffwrdd gymaint ar benwythnose ac yn amal yn teithio yn ôl ar ddydd Sul, ac i ffwrdd am gyfnode dros y môr neu ar fordeithie hefyd. A'r adeg honno roedd yna bwyslais mawr ar fod ar gael trwy'r amser ac am fod yn ffyddlon bob Sul, felly doedd gen i ddim dewis er 'mod i'n teimlo'n falch imi gael fy ethol.

Erbyn hyn, mae pethe wedi newid, a dim cymaint o bwyslais ar bwysigrwydd bod ar gael bob Sul yn rheolaidd. Mae'n bosib iawn y byddwn i wedi derbyn, felly, taswn i wedi fy ethol yn ddiweddar, ond pan aed ati i bleidleisio yn 1999, Ann gafodd ei dewis, hi a Margaret Edwards a Dilys Owen, Gwern Newydd, ac mi dderbyniodd y tair gan gydweithio'n hapus efo Eryl Evans, Pantafallen, a etholwyd yn flaenor dair blynedd ynghynt. Mae Gwil erbyn hyn wedi symud o'r fro ac yn aelod yng Ngherrigydrudion. Catherine, fy merch hyna, ydi ysgrifennydd yr eglwys yn y Gro a dwi'n hynod o falch o'r cyswllt teuluol a'r olyniaeth.

Gan amla, os medra i rywsut yn y byd wrth gwrs, mi fydda i'n dychwelyd adre'n syth ar ôl canu, oni bai 'mod i 'mhell iawn, neu bod 'ne fwy nag un cyngerdd wedi'i drefnu yn yr ardal. Mae hi'n gallu bod yn dri o'r gloch y bore arna i'n cyrredd adre a phan ddudes i hynny wrth ohebydd papur newydd oedd yn fy holi un tro, roedd o wedi rhyfeddu. 'Wel,' meddwn i, 'tase 'ne fuwch yn ymyl llo, mi faswn ar fy nhraed yr adeg honno beth bynnag.'

Ac mae hynny'n wir. Mae'n rhyfedd mor debyg ydi byd ffarmio a byd canu, â'r ddau fyd yn mynd efo'i gilydd yn iawn. Sawl tro dwi wedi mynd i ganu i rywle a landio adre wedi prynu llo, wedi clywed bod un ar werth heb fod ymhell, falle, neu rywun yn cynnig bargen i mi. Fydda i byth yn wastio llawer o amser dros y pris; dwi'n gweld haglo yn wastraff amser. Os ydi'r pris yn iawn, mi bryna i'r anifel; os nad ydi o, mi gaiff aros lle mae o.

Ac nid un anifel yn unig bob amser chwaith, gan imi unwaith brynu llond trelar o wartheg Charolais ar ffarm yng Ngheinewydd, lle mae Maes Carafanau Brownhills. Nid anifeilied fydd hi bob tro chwaith, ond trelar, cynaeafwr (forage harvester), a hwnnw o Sir Benfro, ac unwaith foto-beic peder olwyn o Garej Tegfan yn Llandeilo! Handi 'di'r busnes canu 'ma i fynd â fi rownd y wlad. Mae o'n gneud mwy na hynny hefyd, mae o'n creu cyfeillgarwch efo pobol, cyfeillgarwch sy'n parahau ar ôl i'r ymweliade canu ddod i ben.

Dyna i chi Garej Tegfan y sonies amdani. Beth amser yn ôl yn ystod cyfnod y casglu arian ar gyfer y sioe fawr, gyda'r targed 'answyddogol' i Glwyd yn £200,000, mi dderbynies rodd anrhydeddus gan y perchennog, ac yn wir rydw i wedi derbyn siecie a chyfraniade o bob rhan o Gymru a thu hwnt, ac mae haelioni pobol tuag ataf i a thuag at y sioe wedi fy syfrdanu.

Mae sôn am Garej Tegfan yn fy atgoffa imi fod yn canu yn Llandeilo y llynedd ac i mi ac Ina Williams y soprano gyflwyno'r ddeuawd Hywel a Blodwen. Er mwyn rhoi blodyn iddi yn ystod y gân, mi bicies drosodd i ardd Ieuan Evans perchennog y garej a dwyn blodyn oddi yno, a chyfadde wrtho wedyn, wrth gwrs. Eleni roeddwn i ac Ina yn canu yn Llandeilo unwaith eto, a be landiodd yn anrheg imi ar gyfer y ddeuawd ond clamp o hydrangea, a deud y gwir roedd o'n anferthol – rhodd gan Ieuan. Dydi ffrindie da byth yn anghofio!

Ambell dro bydd yna wrthdaro rhwng ffarmio a chanu, a dwi'n cofio unwaith, ym

Mawrth 1981, dwi'n meddwl, imi fod yn canu efo Côr Meibion Corwen mewn achlysur eitha crand yn Minsterley, ger Amwythig, a gorfod mynd rownd y defed yn fy siwt ffurfiol ar ôl cyrredd adre yn yr orie mân gan fod y cyngerdd yng nghanol y tymor wyna.

Nid canu yn unig sy'n mynd â fi oddi cartre bob amser chwaith. Unwaith y flwyddyn, tua mis Mai fel rheol, mae criw ohonon ni, ffermwyr, yn mynd ar daith dri neu bedwar diwrnod i ymweld â ffermydd eraill, yn Iwerddon, yn Lloegr, yn Ffrainc, neu yn yr Alban. Criw o ochre Llanddoged a Llanrwst a thopie Uwchaled ydi'r rhain ac mae tua deg ar hugien ar y daith bob tro. Mi gawn ni gyfle i ymweld â ffermydd gwahanol iawn i'r rhai ryden ni'n gyfarwydd â nhw o ddydd i ddydd, gan gynnwys ffermydd grawn a ffermydd ceffyle. Mae hi'n gymdeithas dda ac mae llawer o hwyl i'w gael. Un sy'n dod efo ni bob blwyddyn ydi Merfyn Davies ac mi fydd o'n amal yn llunio adroddiade ar gyfer y BBC. Mae gen i gysylltiad canu efo Merfyn hefyd, gan y bydde fo'n arwain cyngherdde a nosweithie llawen lle byddwn i'n cymryd rhan. Mi ddaethon ni'n ffrindie da a fi oedd ei was priodas!

Yden, mae'r ddau fyd, byd ffarmio a byd canu, yn perthyn yn agos i'w gilydd. Falle mai'r agwedd ar ffarmio sy debyca i ganu ydi dangos anifeilied a chystadlu mewn sioeau a ffeiriau. Mi rydw i a'r meibion wedi gneud llawer o hynny dros y blynyddoedd, ac yn dal i neud, ac mae'r meibion, Gwyn ac Erfyl, wedi etifeddu diddordeb eu tad ac yn selog iawn wrth y busnes.

I Ysgol Brynhyfryd, Rhuthun, yr aeth y ddau yn un ar ddeg oed ond, yr un fath yn union ag roeddwn i yn eu hoed nhw, ffarmio oedd popeth, ac mi fydden nhw'n edrych ymlaen at y min nosau ac yn enwedig at y Sadwrn a'r Sul. Yn ystod gwylie ysgol, bydden nhw hyd yn oed yn dod i'r ocsiwn efo fi er pan oedden nhw'n ifanc iawn.

Roeddwn i wedi penderfynu ers rhai blynyddoedd y byddwn i'n gneud y ddau'n bartneried efo Ann a fi pan fydden nhw'n gadel yr ysgol. Ac mi wnes i hynny, Gwyn i ddechre, ac yna Erfyl. Ond nid yn unig eu gneud nhw'n bartneried ond rhoi cyfrifoldeb iddyn nhw hefyd, cyfrifoldeb prynu a gwerthu, er y bydde 'ne anghydweld rhyngon ni weithie, fel mae yna o hyd. Mae'n bwysig fod pawb yn cael deud ei farn, mae hynny'n rhan o dderbyn cyfrifoldeb, ac roeddwn i'n credu'n gry yn hynny, mae'n debyg, am i mi elwa cymaint o gael y cyfrifoldeb fy hun gan Taid Pen Brynie.

Fel roedd y bechgyn yn tyfu ac yn magu hyder a derbyn mwy a mwy o gyfrifoldeb, roeddwn i'n gallu gollwng mwy a mynd i ganu ymhellach oddi cartre – dros y môr i leoedd megis Hong Kong, De Affrica ac America. Ond ble bynnag y byddwn i, mi fyddwn yn ddigon o boen, yn ffonio bob munud i weld oedd pethe'n iawn ac i wybod be oedd yn digwydd. Yn wir, mae'r ffôn bach wedi bod yn fendith fawr yn y blynyddoedd dwetha 'ma, gan 'mod i hyd heddiw am wybod be sy'n digwydd! Yn fendith i mi ond yn boen i'r bechgyn falle.

Pan oedd Ann a finne yn Hong Kong mi fyddwn i'n ffonio adre yn rheolaidd i holi faint o ŵyn, neu faint o loeau oedd wedi'u geni, a holi oedd popeth yn iawn? Mi gwynodd y ddau wrth eu mam a deud nad oedd eu tad yn eu trystio. Mi awgrymodd hi i mi 'mod i'n osgoi ffonio am gyfnod er mwyn iddyn nhw gael llonydd. Ond wedyn roedden nhw'n holi be oedd yn bod a pham nad oedd Dad yn eu ffonio? Mae'n anodd ennill weithie ym myd ffarmio fel ym myd y canu!

Ond mae ennill ym mhob maes yn dibynnu llawer ar y paratoi ac ar y cyflwyno. Roedd gen i ddiddordeb mewn dangos a chystadlu cyn i'r bechgyn ddod yn ddigon hen i gymryd rhan gan fod tad Ann yn ymddiddori mewn dangos anifeilied hefyd, ac mi fydde'n pigo rhai anifeilied allan o'r stoc oedd gen i i mi i'w hentro a'u dangos mewn cystadleuthe yn y seli Dolig yn Rhuthun. O edrych yn ôl, mae'n rhyfeddol sut mae'r safon wedi newid, ac wedi datblygu. Mi fydde'r anifeilied oedd yn ddigon da i'w dangos rai blynyddoedd yn ôl yn edrych yn bethe sâl iawn heddiw.

Roedd y bechgyn hefyd yn magu diddordeb trwy gael sesiyne a chystadleuthe barnu stoc yng ngweithgaredde'r Ffermwyr Ifanc, ac erbyn heddiw ma nhw'n fwy am gystadlu na fi.

Mae 'ne nifer o gystadleuthe yn y seli Dolig: y bustach gore, yr heffer ore, yr anifel gore mewn gwahanol fridie. Mae 'ne andros o waith paratoi. Rhaid dewis yr anifeilied i gystadlu wythnose, weithie fisoedd, ynghynt a rhaid eu dysgu i gerdded ac i dwyso yn iawn, er mwyn y cyflwyniad. Dydi anifel da sy'n anystywallt ac yn strancio pan fydd yn cael ei feirniadu yn da i ddim. Rhaid iddo fod wedi dysgu sefyll yn llonydd – ac yn daclus, er mwyn i'r beirniad gael ei archwilio.

Erbyn hyn mae Dion a Cai, plant Gwyn, yn twyso mewn sioeau a'u diddordeb nhw mewn ffarmio gymaint â neb o'r teulu. Ac yn sioe Sir Feirionnydd yn y Bala eleni roedd Rhidian ynte, hogyn Erfyl, yn helpu i dwyso a dangos. Mae'n argoeli'n dda y bydd y genhedleth nesa hefyd felly'n cadw'r traddodiad.

Ambell dro mi fydd y bechgyn yn prynu anifel yn unswydd er mwyn ei ddangos mewn sioe. Rydw inne'n tueddu i brynu wrth weld y potensial mewn anifel, er nad ydi o ar y pryd yn edrych yn dda iawn falle. Mae dod i nabod anifel da, bustach er enghraifft, yn dod yn rhywbeth greddfol bron, ond mae 'ne nifer o bethe i edrych amdanyn nhw wrth feirniadu: cefn syth lefel, pen-ôl crwn, pen bychan twt, coese a thraed syth a solet, sut mae'r anifel yn sefyll a sut mae o'n cerdded.

Yn y paratoi mae llawer o'r gyfrinach, y paratoi dros fisoedd o amser i'w ddatblygu a'i drênio yn iawn, a'r sylw munud ola iddo fo er mwyn iddo edrych ar ei ore. Ar wahân i'w fwydo'n iawn dros fisoedd o amser, mae dysgu ac arfer yr anifel i sefyll ac i gerdded yn iawn ac i oddef cael ei dwyso yn fusnes hir ac angen llawer o amynedd, ond heb y paratoi does dim pwrpas cystadlu. Mae ambell un yn anodd weithie, yn anystywallt ei natur, ond mae tabledi i'w cael i'w tawelu. Ac yna rhaid wrth y paratoi munud ola. Mae'r anifeilied sy'n cyrredd ambell i sioe yn edrych yn ddigon cyffredin ar yr olwg gynta, a thraul y teithio arnyn nhw. Ond ar ôl oriau o olchi a glanhau, o frwshio a thrimio, a hynny'n amal yn gynnar iawn yn y bore, ma nhw'n edrych yn hollol wahanol.

Mae'r paratoi yr un mor bwysig ar gyfer y canu. Dros gyfnod hir mae'r llais yn datblygu nid dros nos, ac mae angen ymarfer, canu llawer a chael yr hyfforddiant priodol i ddatblygu'r doniau i'r eithaf. Ac wrth gwrs rhaid edrych yn iawn ar lwyfan wrth ganu hefyd – mewn siwt crys a thei, neu dei bô. Ond unwaith mi wnes i beth gwirion iawn, mi anghofies fy nghrys!

Wnes i ddim darganfod hynny nes mynd ati i newid ar gyfer y cyngerdd, a hynny yn ardal Cheltenham yn Lloegr, llawer rhy bell i allu gneud dim yn ei gylch. Un o'r rhai oedd yn cymryd rhan yn y cyngerdd, yn arwain a chyflwyno, oedd Roy Noble, a diolch i'r drefn roedd ganddo fwy nag un crys efo fo ac mi ges fenthyg un ganddo. Mae o'n dal i'm hatgoffa fi o hynny o dro i dro – y fi'n deud mai fy *claim to fame* ydi imi unwaith wisgo crys Roy Noble, ac yntau'n mynnu mai benthyg ei grys i Trebor Edwards ydi ei *claim to fame* o! Dwi ddim yn cofio pa mor dda oedd o'n ffitio, braidd yn fawr mae'n debyg, ond crys ydi crys!

Sôn roeddwn i am gystadlu mewn sioeau a dangos anifeilied. Mae Gwyn a dau neu dri o rai eraill wedi cychwyn arwerthiannau arbennig yn Rhuthun ryw ddwywaith y flwyddyn, arwerthiannau o'r anifeilied maen nhw'n eu galw yn show potentials, yr anifeilied hynny sy'n dangos addewid ac y gellid eu datblygu gyda gofal a sylw i fod yn anifeilied ar gyfer sioeau. Mae'r arwerthiannau hynny'n boblogaidd iawn a daw prynwyr iddyn nhw o bob rhan o Gymru a thu hwnt.

Ym myd cystadlu yn gyffredinol roedd yna bosibiliadau twyllo, yn enwedig o safbwynt oedran a hawl i gystadlu, ac mae rhagfarn beirniaid hefyd yn ffactor bwysig. Ond, erbyn hyn, ym myd cystadlu anifeilied mae yna reolau caeth iawn o ran cadw record yr anifel. Mae ei gofrestru yn sicrhau y bydd dyddiad ei eni wedi'i gofnodi, a rhaid nodi hefyd ei frid – a nodi'r tarw. Does dim posib twyllo o ran y brid na'r oed felly, a does dim angen i feirniad edrych ar ddannedd yr anifel er mwyn cadarnhau ei oed.

Y gobaith bob amser hefyd ydi na fydd beirniad yn mynd am y person sy'n dangos ond yn hytrach am yr anifel, ac y bydd yn taro ei law ar eich anifel chi i nodi mai hwnnw sydd wedi ennill. Mae yna berthynas dda rhwng y rhai sy'n dangos a phawb yn barod i helpu ei gilydd. Ym mhob sioe, bron, mae cymdeithas answyddogol glòs iawn wrth i ni gyfarfod ein gilydd.

Mi fydda i a'r bechgyn bob amser yn cystadlu yn y sioeau lleol, ac mae'r rhestr yn cynnwys: Corwen, Rhuthun, yr Wyddgrug, Abergele, y Trallwm, Llanelwedd a Sioe Môn. Hefyd awn dros y ffin i Crewe a Chroesoswallt ac ymhellach i leoedd megis Stafford. Yn anffodus mae rhai o'r canolfannau hyn wedi cau yn ystod y blynyddoedd diwethaf, ac mi gyfyngodd peryglon clwy'r traed a'r genau beth ar y crwydro; erbyn hyn mae ymddangosiad clwy'r tafod glas yng ngwledydd Prydain hefyd yn fygythiad gwirioneddol.

Fel arfer, yn y sioeau hyn mae yna amryw byd o gystadleuthe – rhai ar gyfer bridiau pur a rhai ar gyfer bridiau cymysg, y commercials fel maen nhw'n cael eu galw. Mae dangos yn hobi, yn union fel chware golff neu ryw ddiddanwch arall. Rydw i wedi bod yn beirniadu peth hefyd, mewn sioeau a ralïau ffermwyr ifanc, gan gynnwys cystadleuthe'r ffermwyr ifanc yn y sioe fawr. Bridwyr adnabyddus neu fwtsheried neu borthmyn sy'n prynu i gwmnïau mawr ydi'r beirniaid yn amal, pobol a chanddyn nhw lygad da am anifel.

Erbyn yr wythdege, a'r bechgyn yn magu adenydd ac am lynu'n sownd wrth amaethu, mi ddaeth yn amlwg y bydde'n rhaid, yn y man, gael cynhaliaeth ar gyfer tri theulu. Mi olygai hyn helaethu'r stad a phrynu. Pan brynes i Pencraig Bach doeddwn i ddim yn gallu fforddio Pencraig Mawr, oedd yn ffarm dri chan acer; fe'i prynwyd gan Miles Crawley, Bryn Halen, ac mi ddaeth ei fab, Asheton, i fyw yno.

Yn 1987, fodd bynnag, mi chwalodd ei briodas ac mi aeth y lle ar ocsiwn, y tir o du ucha'r ffordd i ddechre, 180 o aceri i gyd, ac yna, o fewn chwe mis, y tŷ a'r adeilade a'r 120 o aceri oedd yn weddill. Mi lwyddes i brynu'r tir yn yr ocsiwn gynta am £132,000 a'r gweddill yn yr ail ocsiwn am £164,000. Bron i dri chan mil! Arian mawr bryd hynny, arian mawr heddiw hefyd, ond yn werth pob ceiniog gan mai yno yn byw mae Gwyn, y mab hyna, ei wraig Lynn, a'u plant – Dion Gwyn, Robert Cai a Lydia Mair.

Ym Mehefin 1990 y bu priodas y ddau, yng Nghapel Cefn Nannau, Llangwm, a'r Parch. Meurig Dodd, gweinidog Lynn, a'r Parch. Neville Morris, gweinidog Gwyn, yn eu priodi. Eleri Thomas, un o'm cyfeilyddion ffyddlon, oedd yr organyddes a'i gŵr Gwil, fy mhartner yn y busnes ŵyn, yn arwain y gân. Erfyl oedd y gwas ac roedd tair morwyn – Eleri Evans, a Gwenan Jones, dwy ffrind, ac Alwen ei nith, gydag Elin Edwards, merch Margaret, yn canu unawd yn y gwasaneth.

Hogan fach oedd Alwen ac roedd ganddi ddiddordeb mawr yn y briodas, ac wrth ei bodd yn cael bod yn forwyn a gwisgo'n lliwgar. Roedd pobol yn tynnu arni ac yn trio cael gwybod pa liw ffrog oedd hi'n ei wisgo – a hithe'n ddigon call i ateb 'un ddu'!

Ar y dydd ola o Fedi 1983 y priodwyd Rose â Hywel, mab Emyr a Dilys Roberts, Ty'n Celyn, Gwyddelwern, yng Nghapel y Gro, gyda'i gweinidog, y Parch. Neville Morris, a gweinidog Hywel, y Parch. Reuben Roberts, yn gwasanaethu, Iola Jones, Penbryn, y Betws, ffrind Rose, a Catherine, chwaer Rose yn forynion ac Elfyn Parry, Pen y Platt, Gwyddelwern, yn was, ac Eleri, unwaith eto wrth yr organ. Nyrs yn Ysbyty Llanelwy ac wedyn yn Ysbyty Rhuthun oedd Rose ond mi roddodd y gorau iddi ar ôl priodi. Mi fu Mam yn gwneud cacennau i amryw o briodasau a hi wnaeth y gacen i briodas Rose, fel i briodas Catherine.

Mae'r teulu yn golygu popeth i Ann a finne. Mor ffodus yden ni o'u cael yn ymyl.

Mae cryn dipyn o brynu tir wedi bod yn fy hanes i, a deud y gwir. Cyn imi brynu Pencraig Mawr roeddwn i wedi prynu Bryn Moel, ffarm o ryw 35 acer yn Clawddnewydd, a Bryn Ffynnon, ffarm arall yn yr un ardal. Mi werthes dir Bryn Moel i'r cymydog agosa pan brynes i Pencraig Mawr – roedd y tŷ wedi'i werthu cynt, a thŷ Bryn Ffynnon hefyd, ond mae tir y ffarm honno'n dal gen i.

Bob tro y bwriadwn brynu mi fyddwn i wedi bod yn siarad efo'r banc cyn gwneud dim, er mwyn cael sicrwydd o fenthyciad a chytundeb ynglŷn â'r uchafswm y gallwn ei dalu, gan fod prynu bob amser yn golygu mynd i fwy o ddyled. Unwaith yn unig y mentres i brynu heb fynd at y banc i ddechre, a hynny gan ei fod yn benderfyniad munud ola. Mi ddaeth Meyarth Hall, Brynsaithmarchog, ar y farchnad, ac roedd yn cael ei werthu mewn tair lot – y tir a hanner can acer yn un ac yna gweddill y tir yn ddwy lot. Roedd gan Hywel a Rose, Ty'n Celyn, ddiddordeb yn y tir ond Emyr Jones, Rhiwaedog, Rhosygwaliau, un o arweinwyr Undeb Ffermwyr Cymru erbyn hyn, a'i prynodd.

Mi es inne i'r ocsiwn heb weld y telere a chyrraedd yn hwyr, yn rhy hwyr i glywed manylion y lle. Roedd y bidio ar y tŷ a'r hanner can acer ar ddechre ac mi aeth i fyny i £136,000 ac aros ar hynny. Mi wyddwn fod y lle'n werth mwy, felly, yn crynu fel deilen, mi gynigies amdano ac ailgychwynnodd y bidio, ac fe'i cefais am £144,000. Mi werthes y tŷ a'r adeilade i deulu Baines o Lanelidan a chadw'r tir ar gyfer codi cropiau a phori.

I orffen efo'r busnes prynu tir 'ma, mi brynodd Gwyn ac Erfyl bron i bedwar can acer o Fynydd Llandegla yn ddiweddar ac mae'n cael ei ddefnyddio i bori defed. Mae grugieir yno a rheolau caeth ynglŷn â'r defnydd o'r tir – cheir mo'i drin a rhaid cadw rheolaeth ar y grug a'i dorri ar amser penodol bob blwyddyn.

Erbyn hyn mi newidiodd cynllun taliade i anifeilied, gan symud o daliad y pen ar bob anifel i daliad sengl yn seiliedig ar nifer yr aceri o dir, felly mae Mynydd Llandegla yn help mawr i gynyddu'r taliad hwnnw. Ond mae yna ganlyniade anffodus i'r newid hwn. Yn gyffredinol mae'r stoc anifeilied yn lleihau ac yn prinhau, ac mi alle hynny yn y man arwain at brinder bwyd.

Mae rhentu yn ffordd arall o gael gafael ar dir, ac rydw i a'r bechgyn wedi gneud tipyn o hynny hefyd dros y blynyddoedd, ond dydi bod â thir ymhell o gartre ddim heb ei brobleme. Mae ffarm ar rent gynnon ni ym Mhenarlâg, sef Aston Hall Farm, ac mi gawson ni, beth amser yn ôl, alwad gan yr heddlu yn deud bod y gwartheg oedd gynnon ni yno'n pori wedi dianc i'r ffordd, a bod un ohonyn nhw ar yr A55 ac yn achosi trafferthion mawr.

Yr hyn oedd wedi digwydd oedd fod plant o'r pentre wedi mynd i un o'r caeau efo ffyn ac wedi ymlid y gwartheg oddi yno drwy'r gwrych i'r ffordd er mwyn cael hwyl a sbri. Roedd archfarchnad fechan yn ymyl yr ysgol uwchradd ym Mhenarlâg ac mi welwyd nifer o blant efo pastynau yno wrth eu boddau am eu bod wedi llwyddo i wylltio'r gwartheg.

Mi grwydrodd un fuwch i'r A55, fe'i trawyd gan gar ac fe'i lladdwyd yn y fan a'r lle. Ond, yn rhyfedd iawn, er inni orfod talu am adfer rhai o'r gerddi yn y pentre ar ôl i'r gwartheg redeg yn wyllt drwyddyn nhw, chafwyd dim cais am iawndal na phres yswiriant na dim gan y modurwr am y niwed i'w gar. Mi fydde'r heddlu'n ffonio'n amal i ofyn oedden ni wedi clywed rhywbeth gan y modurwr; credent bod y ffaith iddo beidio hawlio iawndal yn awgrymu nad oedd yswiriant ar y car, neu ei fod wedi'i ddwyn.

Mi fydd rhai'n gofyn imi ambell dro, ac mi fydda i'n gofyn i mi fy hun hefyd, pam 'mod i wedi parhau i ffarmio, lle mae'n rhaid wynebu colledion mawr ambell dro, lle mae'r orie'n hir ac ymdrechion y ffarmwr ddim yn cael eu gwerthfawrogi'n gyffredinol. Pam ddim gadel amaethyddiaeth a chanolbwyntio ar y canu? Wn i ddim, ond mae ymlyniad wrth y tir yn bwysig, ac mae'r bechgyn yn teimlo yr un fath, a'u plant hwythe. Ffarmio ydi popeth iddyn nhw. Mae sicrhau'r olyniaeth yn hanfodol, mor hanfodol â chadw cefn gwlad a'r iaith, yr ysgolion a'r gymdeithas.

Ond mae'n rhaid cynyddu incwm cefn gwlad os oes ffyniant i fod, ac mae meline gwynt yn un ffordd o sicrhau hynny, i'r ffarmwr sy'n gosod y tir ar eu cyfer ac i'r gymdeithas yn gyffredinol hefyd. Alla i ddim deall y gwrthwynebiad i'r meline 'ma, gwrthwynebiade lleol sy'n cael eu harwain yn amal gan fewnfudwyr – y bobol sy wedi dod i'r wlad i gael llonydd a bywyd braf heb falio dim am yr economi leol. Mae yna ddadl fod y meline'n anharddu manne prydferth. Roedd y peilone trydan yn bethe llawer mwy erchyll a fu dim protestio pan osodwyd y rheiny ar draws y dyffrynnoedd ac ar gopaon y mynyddoedd. Mae meline hefyd yn cyfrannu at ddatrys problem fawr cynhesu byd-eang ac o'u rheoli'n iawn a pheidio cael gormod mewn un ardal mi allen nhw fod yn gynhaliaeth werthfawr a didramgwydd i gefn gwlad.

Beth bynnag am hynny, fel roedd y tir yn cynyddu a'r bechgyn yn dod yn hŷn, roedd fy ngalwade inne i ganu'n cynyddu hefyd, a'r cyfleoedd i gymryd rhan mewn rhaglenni ar y radio ac ar y teledu yn dod yn amlach. Mi fydd rhestru rhai o'r rhaglenni yma'n ddigon: *Cais am Gân*, *Trebor* (sawl cyfres), *Taro Tant*, *Treialon Cŵn Defaid*, *Parti*, *Cyfle*, *Fi a fy Nghân*, *Noson Lawen*, *Parti Haf*, *Elinor a'r Sêr*, *Parti Dolig*, *Llun ar y Radio*, a *Rargian Fawr*.

Cefais fy rhaglen *Penblwydd Hapus* fy hun ac mi ymddangoses ar raglenni Penblwydd Tom Gwanas ac Annette Bryn Parry. Mor gynnar â 1975 mi gafodd Ann a finne wahoddiad i ymddangos ar raglen *Siôn a Siân*, ac mor ddiweddar â 1997 mi ddaeth rhaglen Dai Jones – *Cefn Gwlad* oddi yma.

Yr un pryd â'r holl raglenni hyn mi fyddwn i'n ymddangos mewn cyngherdde o bob math a hynny mewn ugeinie, os nad cannoedd, o leoliade. Mi fyddwn i, o'r herwydd, yn derbyn llythyre rif y gwlith o bobman dan haul – y mwyafrif mawr yn canmol, rhai'n gofyn am record, neu yn holi am gân, ac ambell un yn cynnig cyfieithiad i'r Gymraeg o ryw gân neu'i gilydd. Rydw i'n gwerthfawrogi pob un ac yn lwcus i Ann fod yn rhyw fath o ysgrifenyddes answyddogol, a di-dâl imi!

O dro i dro rydw i wedi cael llythyre gan blant hefyd. Yng nghanol yr wythdege mi fues i yn ysgol Dinmael ryw fin nos pan oedd y plant a'u rheini yno. Mi ges i swp o lythyre o'r ysgol wedyn a dwi'n arbennig o hoff o un – gan hogan fach o'r enw Sarah. Dyma ran ohono:

> Wedi'ch gweld chi ar y teledu yn canu 'Yr Hen Gi', a dwi'n cael llawer o bleser yn gwrando arnoch. Mi ddweda i rywbeth wrthych chi, wna i ddim deud wrth neb arall – pan glywodd Dad chi yn canu nos Iau doedd ganddo ddim eisiau mynd adref.

Does wybod be ddaw drwy'r post o ddydd i ddydd. Dyma gyfraniad gan neb llai na phrifardd a phrif lenor, sef John Gruffydd Jones, Abergele:

Ffermwr (Pennill dychan)
Nid torri tir newydd ond Tori tir glas,
Dyna yw uchelgais pob ffermwr o dras,
Ond mi fagith ddefaid ar grindir a phant,
Dim ond i chwi sibrwd am fymryn o grant,

Ac er nad oes 'na gi ar gyfyl ei fro
Mi ganith am Shep am 'un fil ar y tro',
Os na fydd na bris ar y defaid na'r gwlân,
Mor hawdd fydd gwneud elw gyda Siôn a Siân,
A phan fydd pris llysiau yn wirion o rad,
Mae tir mor gynhyrchiol i'w gael yng Nghefn
Gwlad.

Ac efo'r pennill roedd llythyr o ymddiheuriad
yn pwysleisio mai hwyl oedd y cyfan!

Pan ddaeth Dai Jones yma i ffilmio *Cefn
Gwlad*, mi gafwyd tipyn o hwyl efo ffens drydan
ac fe'i dangoswyd ar y rhaglen. Drwy'r post
ddyddiau wedyn mi ddaeth cerdyn ac arno'r
geirie yma:

O wylio *Cefn Gwlad* yn ddiweddar, gwelsom fod
Dai Jones wedi'i roi mewn lle peryg unwaith
eto. Doedd o ddim yn achos chwerthin wrth
symud y wifren drydan yna. Gall chwarae droi'n
chwerw ac yn ddigon i ambell un. Tydi trydan
ddim yn beth i chwarae hefo fo. Rhybudd
gawsoch chwi.

TRYDANWR

Does gen i ddim syniad pwy yrrodd o, ond
o wybod beth ydi cryfder weiren ffens drydan

dwi'n ame oedd y sawl wnaeth ei anfon yn drydanwr!

Mae'r hyn sy'n ymddangos yn y wasg yn ddiddorol ambell dro hefyd, a rhag imi fynd i feddwl fy hun ormod, mae ambell lythyr yn rhoi fy nhraed yn ôl yn solet ar y ddaear. Dyma rannau o un a ymddangosodd yn *Y Cymro* yn dilyn rhaglen *Barddoniaeth a Chân* ar S4C:

> ... Ond y cywilydd mwyaf oedd canu Trebor Edwards, a'r dorf yn dotio ac yn ei gymeradwyo ef yn unig, bob tro. Wel, os ydynt yn gwirioni ar ei berfformio syrffedus o 'Un dydd ar y tro,' a phethau sâl, sentimental eraill, dyna fesur eu chwaeth, chwaeth Radio 2. Ond roedd ei gyflwyniad o'r gân werin fwyaf swynol yn ein hiaith yn sarhad ar y geiriau a'r alaw dlos.

Enw merch a chyfeiriad ym Mangor oedd o dan y llythyr, ond er gwneud ymholiadau, mi fethwyd â dod o hyd iddi! Oedd hi'n bod neu oedd rhywun yn tynnu coes? Sgwn i. Ond falle mai licio meddwl hynny oeddwn i.

Llawer brafiach i mi oedd darllen y sylw yma gan ohebydd yn un o'r papurau – *Y Cymro* eto mwy na thebyg, wrth gyfeirio at ryw raglen, rhaglen wobrwyo cantorion a grwpiau dwi'n meddwl: 'Rhiannon Tomos, Meic Stevens, Ficar, Diawliaid... Ia, ond lle ddiawl roedd Trebor Edwards? Preisus canu a dim sôn am y canwr gorau rioed – mae'n ddigon i wneud unrhyw un sgrechian.'

Gwell gen i'r sylwade ene na'r llythyr, dwi'n meddwl!

Dwi'n trio peidio ypsetio pobol a dwi'n cyrredd pob cyhoeddiad yn gynnar, yn sylweddoli y gall y trefnwyr fod ar bige'r drain pan fydd artistiaid yn hwyr yn cyrredd, a fydda i byth yn methu dyddiad na chytundeb os galla i rywsut yn y byd. Ond mae hynny ynddo'i hun yn gallu bod yn broblem weithie. Roeddwn i unwaith, flynyddoedd yn ôl, i fod i ganu efo Côr Meibion Corwen pan oedd o dan arweiniad Robin Williams (Robin Exchange) yn Birkenhead, ond mi golles fy llais, hunlle i unrhyw ganwr! Be oeddwn i i'w neud? Mynd 'te aros adre? Mynd wnes i beth bynnag gan nad oeddwn i'n teimlo'n sâl, ond fedrwn i ddim canu nodyn, ac mi ges i bryd o dafod go iawn am fentro mynd a finne ddim yn iawn, yn hytrach nag aros yn fy ngwely. Wel, mi fase wedi bod yn well taswn i wedi aros adre'r noson honno, a deud y gwir.

Dro arall, pan ges i anhwylder tebyg mi benderfynes aros adre a ffonio'r trefnwyr i ddeud na allwn i fod yn bresennol, a doedden nhw ddim yn hapus o gwbwl. Mi ges i hen deimlad nad oedden nhw yn fy nghoelio ac mai gwneud esgusion roeddwn i am nad oedd arnaf awydd gadael cartre. Mae'n anodd gwybod be sy ore weithie.

Y lle pella y bues i ynddo a cholli fy llais oedd San Fransisco ym mhellafoedd America, a thrwy hynny golli'r cyfle i ganu i Rhodri Morgan! Roeddwn i yno efo Côr Meibion Llanelli ac i fod i ganu yn y gymanfa, a Rhodri Morgan yn bresennol. Mi aeth pethe o'u lle efo'r trefniade lletya. Er bod stafell dda wedi'i bwcio ar ein cyfer, mi gafodd Ann a finne ein hunen ar lawr ucha adeilad anferthol ei faint. Roedd yno bobol eraill reit flin gan fod y rhai a dalodd am stafelloedd rhad wedi cael ystafelloedd moethus *en suite* a'r rhai oedd wedi talu arian mawr mewn stafelloedd llawer salach.

Beth bynnag, yn y top un, yn yr atic, a deud y gwir, y cafodd Ann a finne ein hunen ac roedd y gwres yn ein taro ni wrth fynd i mewn, gan fod rhywbeth o'i le ar y system awyru. Gan ei bod mor boeth yno, erbyn y bore doedd gen i ddim llais, roeddwn i fel brân a doedd hi ddim yn mynd i fod yn bosib canu yn y gymanfa.

Mi ddywedwyd wrthyf wedyn mai'r nam yn y system awyru oedd wedi achosi imi golli'n llais. Wyddwn i mo hynny, a sut bynnag taswn i'n gwybod, allwn i ddim fod wedi gneud dim am y peth. Ond doedd y byd ddim ar ben. Gyda Chôr Llanelli roedd Teifryn Rees, unawdydd ardderchog, a fo gymerodd fy lle. Y fo hefyd, gyda llaw, enillodd ar ganu emyn yn Eisteddfod Genedlaethol Sir Fflint yn 2007.

Fe fu ymateb y bobol i'm hanhwylder yn anhygoel. Mi ges i sawl potel o wisgi, ffisig a phils dirifedi, pawb yn barod efo'i feddyginiaeth a'r cyfan yn gwbl nodweddiadol o'r caredigrwydd a'r croeso sydd i'w gael yn America.

Ac unwaith, dim ond unwaith, y methais i gyhoeddiad. Roeddwn i'n canu mewn cyngerdd yn Aberaeron ac yn aros yno gan fod gen i gyhoeddiad arall yn y cylch ymhen deuddydd. Am saith o'r gloch y noson honno, y noson rydd, dyma Erfyl yn fy ffonio i ddeud y dylwn fod mewn digwyddiad preifat yng Nghricieth am chwarter wedi saith. Roedd y trefnydd wedi ffonio Pen Brynie i weld oeddwn i ar fy ffordd.

Mi wnes i gysylltu efo fo, ac roedd o'n reit ypsét, yn naturiol felly. Ond mi ges i faddeuant gan imi syrthio ar fy mai, rhoi dyddiad arall iddo a deud yr awn yno heb godi unrhyw ffî.

Mae gofyn bod yn ofalus. Yr hyn a ddigwyddodd oedd fod y cyhoeddiad yn Aberaeron wedi'i nodi ar y calendar, ond gan ei fod ar ddydd ola'r mis, doeddwn i ddim wedi troi'r calendar drosodd i weld oedd yna rywbeth ar gyfer dechrau'r mis canlynol.

Mi wnes i ypsetio nifer o bobol yn ystod haf 1983 hefyd gan i Sain ryddhau record Saesneg ohonof yn canu – *Presenting Trebor Edwards*, gyda dwy gân Gymraeg a'r gweddill yn Saesneg. Mi wrthododd rhai siopau werthu'r record ond mi aeth Selwyn Evans, rheolwr Siop y Siswrn, i'r pegwn arall a hybu ei gwerthiant o ddifri. Mi gefais wahoddiad ganddo i'r siop i arwyddo copïau, ac mi aeth ati hefyd, oherwydd fy nghysylltiad â byd ffarmio, i'w gwerthu yn y sioe fawr yn Llanelwedd.

Mi aeth y papur bro lleol – *Papur Fama* – ato i'w holi, a dyma ran o'r cyfweliad:

PF: Oes achos ymfalchïo wrth weld Cymro poblogaidd yn troi i ganu yn Saesneg?

SE: Pe byddai Trebor Edwards yn bwriadu troi'n gyfan gwbl i ganu yn Saesneg byddai'n drist ond nid hyn yw ei fwriad. Bu gofyn iddo gan ei edmygwyr di-Gymraeg i dorri record Saesneg... Ond, i ateb y cwestiwn ar ei ben, mae Siop y Siswrn yn gwerthu llyfrau trwy gyfrwng y Saesneg gan awduron o Gymru neu lyfrau sy'n ymwneud â Chymru ond wedi'u hysgrifennu yn Saesneg...

PF: Beth yw eich ymateb i'r rhai sy'n eich beirniadu am hybu masnach Saesneg mewn siop, sydd wedi'r cyfan yn siop Gymraeg?

SE: Mae'r artist yn Gymro, mae'r cwmni masnachu, sef Sain, yn gwmni sydd wedi'i wreiddio yng Nghymru. Wela i ddim o ble daw'r sail i'r feirniadaeth.

PF: A fu'r ddwy fenter yn llwyddiant a phwy oedd yn prynu'r record?

SE: Do, roedd Cymry Cymraeg a di-Gymraeg yn prynu'r record. Roedd rhai Cymry yn peidio prynu'r record ar sail egwyddor. Yr un peth

Ein plant yn Ysgol y Betws. O'r chwith: Catherine, Erfyl, Gwyn a Rose.

A dyma nhw eto, ar ddydd priodas Erfyl. O'r chwith: Gwyn, Catherine, Erfyl a Rose.

Priodas Catherine a Geraint. O'r chwith: Bronwen
(mam Geraint), Brian (brawd), Rose, Geraint,
Catherine, Prys (cefnder Geraint), Ann a fi. Yn y
blaen, Bethan (cyfnither Geraint).

Rose a Hywel ar ddydd eu priodas efo dwy nain ac
un hen nain.

Gwyn a Lynn ar ddydd eu priodas efo perthnasau Gwyn.

Priodas Erfyl a Menai. Yn y llun hefyd y mae Gwyn a'r neiaint a'r nithoedd.

Fi ac Ann efo'n plant a'u gwŷr a'u gwragedd. O'r chwith: Hywel a Rose, Gwyn a Lynn, Erfyl a Menai, Geraint a Catherine.

Yr wyrion a'r wyresau ar achlysur dathlu priodas arian Rose a Hywel. Cefn o'r chwith: John, Haydn, Huw, Llion, Dion, Alwen. Canol: Cai, Rhidian a Lydia. Blaen: Catrin, Lea a Robin.

Clawr *Sbec,* Hydref 1988, efo fy wyrion. Y tu ôl o'r chwith: Huw, Llion a Haydn. O bobtu i mi John ac Alwen.

Pum cenhedlaeth. Cefn o'r chwith: Erfyl, Llion, fi, Rose a Haydn. Blaen: Mam, Huw, Gwyn, Catherine, Nain Abbey Court, Alwen, Ann a John (ar lin Ann).

Mwynhau golchi traed mewn ffa pob efo plant yr Ysgol Sul ar achlysur codi arian i Tŷ Gobaith.

Recordio efo Annette Bryn Parri a Hefin Elis.

Y ddau fyd yn dod at ei gilydd. Dysgu'r geirie – cyn mynd ati i garthu falle.

Aelodau Côr Bro Gwerful efo'u harweinyddes,
Margaret Edwards.

Eleri Thomas,
cyfeilyddes Côr
Bro Gwerful, a'm
cyfeilyddes i lawer
tro.

Trebor o'r Bryniau yn offrymu Gweddi'r Orsedd ar y maen llog yn Eisteddfod Meirionnydd a'r Cyffiniau fore Gwener, 8 Awst 1997.

Y Tri Gwladgarwr – Trebor Gwanas, Glyn Borthygest a fi. Noson i'w chofio yn Borthygest 2002.

Efo'r ci yng Nglynllifon 1987.

Gyda'r gwartheg ym Mhen y Bryniau.
Llun: *Daily Post.*

Gwyn fi ac Erfyl efo'r bustach Limousin –
pencampwr y Sioe Aeaf yn Llanelwedd 2000.

Criw y fordaith i'r Caribî 2007.

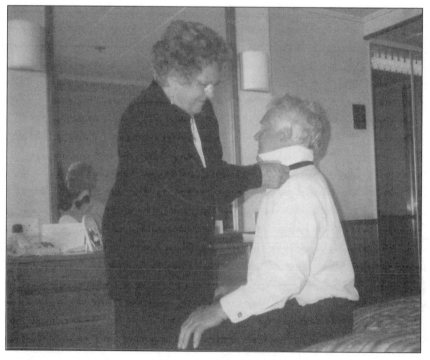

Help gan Valmai Webb i wisgo'n deidi ar
fwrdd y llong.

Dyma beth yw byw – Caerwyn, fi a Myrddin efo merched hardd y Caribî.

Atgofion melys am yr ymweliad â Hong Kong a'r anrheg ges i yno.

Os nad yw'r geirie ar y cof, rhaid cael *idiot board* hyd yn oed ar gefn ceffyl.

Yn y sioe, efo'r Dywysoges Ann.
Llun: *Daily Post*.

Y briodas ddiweddaraf yn y teulu, Medi 2008. O'r chwith efo fi mae Nesta, mam Menai, Meirion (enillydd y Rhuban Glas yng Nghaerdydd), Awel, fy nith a Meilir, nai Meirion.

Bryn Alaw, cartref Ann a minnau.

Bywyd braf ym Mhen y Bryniau.
Lluniau: *Daily Post*.

cyffredin ymhlith y cwmseriaid oedd eu hoffter o ganu Trebor Edwards.

Heddiw mae'r cyfan yn swnio'n ddibwys iawn mewn dyddie pan mae llawer o'n pobol ifanc a'u golygon ar ganu mewn sioeau yn y West End, llawer ohonyn nhw yn byw yn Llunden ac yn cystadlu mewn cystadleuthe ar raddfa Brydeinig i gael sylw. Does dim condemnio ar neb o'r rhain; mi gânt ddymuniadau da eu cyd-Gymry, ac mae grwpiau Cymraeg drodd i ganu yn Saesneg, megis y Super Furries, yn uchel eu parch. Ym myd cyhoeddi llyfrau mae awduron Cymaeg amlwg fel Eigra Lewis Roberts, Geraint Vaughan Jones, Caryl Lewis a Fflur Dafydd yn cyhoeddi ambell lyfr yn Saesneg. Rhywbeth sy'n newid o oes i oes ydi agwedd.

PENNOD 8

'Ar ôl teithio cyfandiroedd...'

MAE SÁWL DIGWYDDIAD wedi bod yn rhyw fath o drobwynt yn fy mywyd: deud wrth Mam 'mod i isio ffarmio Pen Brynie, ennill cystadleuaeth *Dyma Gyfle* yng Nghorwen, Dafydd Iwan yn gofyn imi wneud record, a chanu yng ngŵydd Ellis a Margaret Richards yng Nghydweli. Mi arweiniodd y digwyddiad hwnnw at bedair ar bymtheg o fordeithie dros y pum mlynedd ar hugien d'wetha, ac mae un arall ar y gweill yn 2009.

Fel mae'n digwydd, mi fu'n rhaid gohirio'r daith gynta a drefnwyd gan Richards Travels, taith i Fôr y Canoldir, er bod y trefniade bron wedi'u cwblhau. Y rheswm oedd fod y *Canberra*, llong y fordaith, wedi cael ei defnyddio yn ystod Rhyfel y Malvinas a bod llawer o waith i'w wneud arni cyn y bydde hi'n barod i weithredu fel llong bleser drachefn.

Roedd popeth mewn trefn erbyn y flwyddyn ganlynol beth bynnag, a ffwrdd â ni gan hwylio i brofiade newydd sbon a bywyd go wahanol i adre ar ffarm yng nghefn gwlad Cymru.

Mi ddaeth tua chant o ogledd a de Cymru ar y fordaith gynta, ac er mai 'Parti Trebor Edwards' oedd yr enw ar y criw, doeddwn i ddim yn gyfrifol amdanyn nhw fel y base arweinydd grŵp. Doedd o'n ddim ond enw'r asiantaeth deithio ar y criw gan yr âi pawb mewn gwirionedd ar ei liwt ei hun ac i'w ffordd ei hun yn ystod y pythefnos. Mae rhai o'r criw cynta hwnnw'n dal i ddod ar y mordeithie, ac mi fydd rhai'n dod ar y fordaith nesa yn 2009.

Roedd y *Canberra* yn gyfuniad o dref a gwesty moethus ac roedd arni'r holl wasanaethe a geir mewn gwesty pum seren. Mi all treulio diwrnod ar ôl diwrnod ar long fod yn brofiad diflas iawn, hyd yn oed gyda'r holl gyfleustere hynny oedd ar ei bwrdd, ond teithie a alwai mewn gwahanol fanne oedd teithie'r *Canberra*. Ar ôl cyrredd Môr y Canoldir mi fydde'r llong yn galw yn rhywle mwy neu lai bob dydd a phawb yn cael y cyfle i fynd i'r lan – i'r porthladdoedd a'r trefi megis Lisbon, Gibraltar a Monte Carlo. Mi fydde pawb a ddymune hynny wedi gwrando ar gyflwyniad byr i'r gwahanol leoedd cyn camu oddi ar y llong.

Gan fod y *Canberra* yn llong fawr, doedd hi ddim yn gallu glanio yn yr harbwr ym mhobman ac mi fydde'n rhaid defnyddio cychod – *y tenders* – i gario'r teithwyr i'r lan. Dwi'n cofio unwaith ei bod hi'n ddiwrnod stormus iawn a'r cwch yn rowlio ar y tonne a'r teithwyr yn hynod o ofnus. Doedd camu o long fawr i gwch cymharol fychan ddim yn brofiad pleserus mewn tywydd garw. Manon Easter Lewis oedd fy nghyfeilydd ar y daith honno ac roedd Caerwyn, ei gŵr, a nifer o'i ffrindie, gan gynnwys aelode o Gôr Merched Edeyrnion, efo hi. Mi ddechreuodd y criw, dan arweiniad Manon, ganu yn y cwch, ac yn fuan iawn ymunodd pawb gan anghofio am y tywydd stormus. Addas iawn bod merch i weinidog yn gallu tawelu'r storm oedd ym mynwes y teithwyr!

Roedd modd trefnu teithie bws yn y trefi y bydden ni'n ymweld â nhw, a threfnu ymweliade â gwinllannoedd a mynychu cyngherdde a digwyddiade cerddorol o bob math. Dwi'n cofio unwaith wrth i mi grwydro strydoedd un o'r porthladdoedd efo Gwil ac Eleri Llwyn i hogyn ddod ata i'n cynnig rhoi pedole ar fy sandale. Mi wnaeth hynny tra oeddwn i'n dal i gerdded. Y fargen oedd 'mod i'n rhoi sigaréts iddo fo ar ôl iddo orffen. Ond wedyn mi ofynnodd am arian, finne'n gwrthod rhoi dim ond sigaréts iddo. Felly mi dynnodd y pedole, a hynny hefyd tra oeddwn i'n dal i gerdded!

Fel y dwedes i, mae'r un rhai wedi bod yn dod efo Ann a finne ar daith ar ôl taith, ac ma nhw wedi hen arfer mynd eu ffordd eu hunen. Ond mi ddatblygodd un arferiad, sef mynd i fyny bob amser cinio i nyth y frân, y safle uchel ym mhen blaen y llong, lle roedd bar, a dechre canu yn Gymraeg – nifer fach ohonon ni i ddechre, ond y nifer yn cynyddu bob dydd a llawer o bobol yn ymgasglu i wrando arnon ni. *Welsh sing-song* oedd eu henw nhw ar yr achlysur. Yn ystod taith 1988 roedd Gari Wyn o Ddyffryn Clwyd yn gweithio ar y llong a chan mai diwedd Awst oedd hi, roeddwn i ac Ann yn dathlu pen-blwydd ein priodas, a daeth y cyfarwyddwr adloniant i wybod hynny. Mi gyflwynwyd potel o siampaen i ni, a dechreuodd pawb ganu 'Hen Wlad fy Nhadau'. Sylw digon sychlyd un Sais oedd fod y Cymry yn bobol rhyfedd iawn – yn canu eu hanthem genedlaethol ar ddiwedd achlysur cymdeithasol!

Dwi wedi cael mwy nag un cyfeilydd yn dod efo fi ar y mordeithie: Gweneurys sawl tro yn y cychwyn, cyn i brysurdeb y caffi yn Ninbych ac yna ei hafiechyd ei chadw gartre; wedyn Eleri, ac wedyn Manon. Dros y blynyddoedd, mae llawer o bobol wedi bod yn cyfeilio i mi, gartre ac oddi cartre, ac rydw i wedi bod yn llwyr ddibynnol arnyn nhw – Gweneurys yn anad neb wrth gwrs, ac yna Eleri, sef gwraig Gwil Llwyn; Menai, fy merch yng nghyfreth, oedd efo fi yn y gwasaneth yn yr eglwys yn Llanelwedd ar gychwyn y sioe eleni; Arwel Sir Fôn yn amal pan fyddwn ar yr ynys; Grace Pritchard hefyd, yn enwedig mewn cymanfaoedd, ac Annette Bryn Parry ar deledu ac mewn stiwdio recordio. Erbyn hyn, Beryl Lloyd Roberts, c'nither Margaret Edwards, sy'n dod efo fi i'r rhan fwya o gyngherdde'r gogledd, ac i gyngherdde'r de, Meinir Jones Parry, merch Aneirin Jones yr arlunydd a gwraig Gwynedd Parry, sydd ei hun yn unawdydd ardderchog ac a fuodd yn hael ei gymwynase i mi wrth inni godi arian ar gyfer y sioe eleni. Un arall fu'n cyfeilio i mi sawl tro yw Helen Tŷ Cerrig, y drydedd aelod o Leisiau'r Alwen. Mae'n byw erbyn hyn yn Growine, Cefnbrith, yn weithgar yn ei hardal ac yn flaenor yn ei chapel.

Os mai ofni colli llais yw poendod mwya unrhyw ganwr ar dir sych, mae ofni salwch yn boendod ychwanegol ar fordaith. Do, mi fues inne'n sâl ambell dro, yn y *Bay of Biscay* er enghraifft, man sy'n gallu bod yn stormus iawn, ac unwaith bu'n rhaid imi fynd i weld y meddyg i gael pigiad ganddo am fy mod mor sâl ac yn gorfod canu'r noson honno. Wrth siarad efo'r meddyg mi ddaeth yn amlwg ei fod o dras Gymreig ac mi ofynnodd i mi ganu 'Myfanwy' yn ystod fy natganiad, yn arbennig iddo fo. Mi wnes i hynny a phan es i ato i nôl y bil ar ddiwedd y fordaith er mwyn ei gyflwyno i'r insiwrans, doedd 'ne ddim tâl am imi wneud ffafr â fo.

Problem arall bod ar y môr ydi ennill pwyse. Mae 'ne gymaint o fwyta a chyfle i fwyta ar long, a bwyd yn un o'r elfenne pwysica sydd arni. Mae'n bosib bwyta drwy'r dydd, a chan ei fod wedi'i dalu amdano, dydi gorfod gwario ddim yn rhoi brêcs ar y bwyta. Does 'ne chwaith, wrth gwrs, ddim lleoedd arbennig i fynd am dro ar long, dim ond rownd y deciau, ac mi gyfrifid bod mynd rownd beder gwaith yn filltir o daith.

Mi fydde Ann a finne'n mynd am dro felly ar ôl swper bob nos ar ôl imi orffen canu, ond mi fyddwn i'n cyfarfod rhywun o hyd ac yn stopio i siarad, ac Ann yn mynd rownd ar ei phen ei hun a dod yn ôl i'r un lle a finne'n dal i siarad. Ac mi wn i o brofiad nad ydi siarad yn help i golli pwyse!

Dau sesiwn min nos oedd y canu, ac roedd digon o ddewis o adloniant i'r teithwyr, yn glybie a darlithoedd neu gyflwyniade gan rai fel Richard Baker, y cyflwynydd teledu, fydde'n cynnal sgyrsie ar gerddoriaeth ac yn chware recordie. Roedd digon o siope ar y llong, tri neu bedwar o bylle nofio, a digon o gyfle i ddawnsio, a hynny i gyfeiliant bandie 'byw'. Roedd cyfleustere ar gyfer chware cardie, chware coits, cadw'n heini, coluro a thrin y traed i'w cael, yn ogystal â dosbarthiade o bob math megis gosod blode, gwnïo a gwneud cwiltie.

Pryd pwysica'r dydd oedd y cinio nos, ac am fod cymaint o deithwyr ar y llong roedd dau eisteddiad. Mi fyddwn inne wedyn, ar fy mhen fy hun, yn cynnal sesiwn tri chwarter awr ar ôl pob eisteddiad gan ganu caneuon Cymraeg a Saesneg, a deud ambell air, yn enwedig i esbonio'r geirie Cymraeg yn y caneuon.

Mi fydde rhai o'r teithwyr yn gwisgo'n arbennig ar gyfer y cinio bob nos, ond rhyw ddau neu dri chinio hollol ffurfiol fydde yna yn ystod y fordaith. Roedd un noson ddu a gwyn, lle disgwylid i bawb wisgo'r lliwie hynny, a noson y capten, pan fydde fo'n dod o gwmpas y byrdde gan siarad a chymysgu efo pawb.

Mae cabane o wahanol faint a lleoliade ar y llongau hefyd. Gall rhai ddim diodde caban i mewn yng nghrombil y llong, eraill drachefn yn methu diodde gweld y môr trwy'r amser. Does yr un o'r ddau beth yn fy mhoeni i nac Ann ac ryden ni wedi bodloni bob tro ar beth bynnag gawn ni. Wedi'r cyfan, dim ond lle i gadw dillad a newid a chysgu sydd ei angen mewn caban. Ond mae rhai'n talu arian sylweddol yn ychwanegol at gost y daith er mwyn cael cabane sbesial.

Mi ddaeth Mam efo ni ar un o'r teithie pan fu'n rhaid i Gweneurys aros gartre, dod efo ffrind iddi, sef Magwen Davies, yn wreiddiol o'r Betws a'r ddwy yn mwynhau eu hunen yn fawr.

I Fôr y Canoldir bydde'r rhan fwya o'r teithie'n mynd, efo rhai yn cyrredd ymhellach na'r lleill, cyn belled â gwlad Groeg a Thwrci, rai ohonyn nhw. Mi fues i hefyd ar un fordaith i Norwy a'r ffiordau sydd yno. Gwlad ddrud iawn ydi Norwy, ond gwlad o olygfeydd syfrdanol, ac roedd y daith yno'n un arbennig ac yn rhatach nag arfer gan ei bod yn daith ar gyfer yr ieuenctid hefyd. Mi ddaeth Catherine, y ferch hyna, a'r plant efo ni'r tro hwnnw a mwynhau'r amrywieth o weithgaredde a chlybie oedd ar eu cyfer. Mae Ann, wrth gwrs, wedi bod efo fi ar bob un o'r teithie.

Roedd y tywydd yn llawer oerach yn y gogledd nag yr oeddwn i wedi arfer efo fo ym Môr y Canoldir. Môr glas a thywod melyn a haul ydi'r darlun sy yn y meddwl wrth edrych yn ôl ar y teithie hynny, ac ymhlith y golygfeydd mae merched bronnoeth ar y traethe – atyniad arbennig i'r dynion, os nad i'w gwragedd!

Un o'r rhai fu efo ni ar un o'r teithie oedd Hywel Gwynfryn gan ei fod o'n gwneud rhaglen o'r daith ar gyfer S4C. Roedd o'n gwmni da ac yn cael digon o achosion i dynnu fy nghoes.

Roedd o'n hoffi *Harvey Wallbanger* fel diod, rhyw wirod neu fath o wisgi dwi'n meddwl. Ond doeddwn i ddim yn cofio be oedd o ac wrth archebu dyma fi'n gofyn: 'Be ti isio i' yfed?'

A dyma fo'n ateb, 'Ti'n gwbod be dwi isio i' yfed.'

'O ie,' medde fi, 'bang your head against the wall ne rwbeth.'

A 'bang your head against the wall' fues i wedyn gydol y daith.

Mi fu Ann a finne'n aros efo fo ac Anya ei wraig yng Nghaerdydd hefyd pan oeddwn i'n gneud rhyw raglen neu'i gilydd. Roedden nhw'n glên iawn, ac os cofia i'n iawn, roedd o'n un da am helpu yn y tŷ, ac yn mynd i'w wely'n gynnar gan ei fod o'n codi mor fore.

Mae'r *Canberra* wedi hen fynd erbyn hyn; yn wir, mi fuon ni ar sawl llong arall ar ôl hynny – *Aurora, Oriana* ac *Arcadia* – ac yn Ionawr 2009 mi fyddaf yn mynd i'r Caribî; lle bues i unwaith o'r blaen. Y *Ventura* fydd y llong y tro yma, ac mi fydd hon yn daith ychydig yn wahanol gan y bydd yn rhaid hedfan i Barbados a chael y llong oddi yno i deithio o gwmpas yr ynysoedd.

Erbyn hyn mae cwmni Richards Travels wedi'i werthu i gwmni newydd Traveland sydd â'i bencadlys ym Mhorth-cawl ac un o longe cwmni P and O yw'r *Ventura*. Bydd yn galw mewn amryw byd o lefydd, gan gynnwys St Vincent, Bonaire, Tirtola, St Lucia a Grenada. *Tropical Delights* ydi teitl y daith. Sgwn i fydd 'ne ferched siapus, prin eu gwisg ar y traethe yno yn rhan o'r delights?

Mae'r ymweliade â gwledydd megis De Affrica ac America yn hollol wahanol i fordeithie, wrth gwrs, ac rydw i wedi gneud nifer o'r rheiny hefyd, yn amal efo corau megis Côr y Fron, Côr Meibion Glyndŵr, Côr Merched Edeyrnion a Chôr Meibion Llanelli. Rydw i wedi bod yn America deirgwaith, a hefyd yn Hong Kong, De Affrica, yr Almaen, a'r Iseldiroedd. Roedd un daith i America a Chanada yng nghwmni Hogia'r Wyddfa, Marian Roberts, a Rosalind a Myrddin.

Rydw i'n ymwybodol iawn nad oes dim yn gallu bod yn fwy diflas na chlywed am deithie 'dros y môr' pobol eraill, felly mae'n rhaid osgoi cynnwys catalog o ymweliade a chanolbwyntio yn unig ar rai manylion alle fod o ddiddordeb, a rhai uchafbwyntie.

Un o'r lleoedd mwyaf rhyfeddol y bues i ynddo oedd Hong Kong, ac mae gen i fodel o junk arian a dderbynies i'n anrheg gan y Gymdeithas Gymraeg yno i'm hatgoffa o'r ymweliad. Tipyn o broblem oedd dod â'r junk yn ôl i Gymru efo ni gan ei fod yn rhywbeth cywrain iawn. Fe'i rhoddwyd mewn bocs ac mi fu wrth ein traed gydol y daith adre. Dyma un o'r rhoddion cynta ges i ac roedd gen i feddwl mawr ohono. Mae'r llong yma ar y silff yn Bryn Alaw yn fy atgoffa am yr amser arbennig gawson ni yn Hong Kong.

Roedd Ann a finne'n aros efo Eirwen a Carlisle Scott – ac Eirwen yn hanu o Nefyn – ac roedd Gweneurys yn aros efo gwraig a oedd yn dod yn wreiddiol o Bwllheli. Pan welodd Ann hi'n aros am Gweneurys mi feddyliodd yn syth iddi ei gweld o'r blaen yn rhywle, ac yn wir felly roedd hi. Mi fu ar brofiad gwaith fel athrawes yn Ysgol Abergele pan oedd Ann yn ddisgybl yno, ac yna, wedi priodi rhyw broffesor, symudodd i fyw i Hong Kong.

Yno ar wahoddiad Cymdeithas Gymraeg Hong Kong roeddwn i, ac yno yr un pryd â mi roedd Harry Secombe yn perfformio efo Côr Meibion Cymry Hong Kong i gynulleidfa o bum cant, gan gynnwys llywodraethwr y wlad – Sgotyn oedd ar fin ymddeol gyda llaw, ac o'r herwydd mi ofynnwyd i mi ganu cân yn arbennig iddo fo.

Roeddwn i wedi edrych ymlaen at gyfarfod Harry Secombe a chael tynnu fy llun efo fo falle. Ond wnaeth o ddim ymddangos nes ei bod hi'n bryd iddo fo ganu, ac mi ddiflannodd yn syth wedyn. Wnaeth o ddim cymysgu efo neb.

Mi gawson ni groeso mawr yn y clwb golff anhygoel yno a'n trin fel pobol bwysig, *VIPs* go iawn. Roedd Hong Kong bryd hynny yn dalaith annibynnol â phobol gyfoethog iawn yn byw yno. Roedden nhw'n falch o bob esgus i wisgo'n grand – y dynion mewn siwtie ffurfiol a dici bo a'r merched mewn ffrogie duon llaes. Roedden nhw'n gwybod sut i fwynhau eu hunen gan wledda a dawnsio hyd yr orie mân, a thu hwnt i hynny, wir. Rwy'n cofio inni groesi yn ôl ar y cwch i'n llety am chwech o'r gloch y bore ar derfyn y noson gyda'r Gymdeithas Gymraeg, a hynny ar ôl cael brecwast.

Mewn fflat uchel roedden ni'n aros ac roedd merch ifanc o Ynysoedd y Philippines yn edrych ar ein holau ac yn gweini arnon ni. Roedd hi'n ferch selog ac awyddus iawn i blesio. Yn wir mi fydde hi'n sefyll yng nghanol y stafell yn aros i mi dynnu fy nghrys er mwyn mynd â fo i'w olchi. Roedd hi hefyd yn gwau ac yn gwnïo dillade i'w gwerthu er mwyn cael arian ychwanegol i'w anfon adre i'w theulu.

O ddiddordeb arbennig i mi oedd y ffaith fod 'ne ddeng mil o foch yn dod i Hong Kong o China bob dydd i ddiwallu'r galw am gig. Roedd anghenion y dalaith yn gymorth mawr i gynnal economi China. Mi fydde'n ddiddorol iawn dychwelyd i weld sut mae pethe erbyn hyn dan lywodraeth y wlad fawr honno. Bryd hynny roedd y rhan fwya o'r Cymry mewn swyddi breision ac yn byw mewn fflatie gyda'r rhenti'n amrywio o £2,000 i £4,000 y mis, a hynny yn nechre'r wythdege! Mi fase'n rhaid talu miliwn a hanner i brynu fflat!

Mae teithie dros y môr i fanne pellennig yn gwneud i rywun sylweddoli mor fawr ydi'r byd, ond mae ambell ddigwyddiad yn dangos mor fach ydi o hefyd. Ar un ymweliad ag America, roeddwn i'n canu yn nathliade Gŵyl Ddewi Cymdeithas Gymraeg Seattle a chyngerdd gen i hefyd mewn eglwys yn Shelton, talaith Washington. Yn y cyntedd roedd 'ne Feibl teuluol ac ynddo'r enw Sergeant Roberts, Police Station, Cerrigydrudion ac roedd yr aelode wedi rhyfeddu o ddeall ein bod yn byw o fewn peder milltir i Gerrigydrudion. Mi ges ddod â'r Beibl adre efo fi er mwyn ceisio olrhain ei hanes.

Mi ddaeth cyfle i sôn ar y radio am y Beibl, ac mi gafwyd gwybodaeth fod cysylltiad rhyngddo a gweithiwr fu yn Tai Draw, Cerrigydrudion. Cyrhaeddodd ben ei daith yn y diwedd gyda'r teulu hwnnw yn Ffestiniog.

Ble bynnag roeddwn i'n ymddangos yn America, yr wythnos ganlynol mi fydde 'ne adroddiade manwl yn y papur lleol. Yn y cyngerdd Gŵyl Ddewi yn Seattle, roedd telynor lleol yn perfformio ac yn cyflwyno, sef Bronn Journey, ac mi rois i gynnig ar ganu penillion. Yr wythnos ganlynol dyma ymdrech y gohebydd i ddiffinio canu penillion: 'Bronn Journey and Trebor Edwards tried a round of penillion. Each artist played their separate melodies and made one song.'

Rhywbeth yn debyg oedd ymdrech gohebydd yn *Y Drych*, papur Cymry America: 'Bronn Journey and Trebor Edwards tried a harp and voice penillion. Each artist held his own and blended two distinctly different hymns into one.'

Un o brif blesere ymweld â gwledydd tramor i Ann a fi yw cael aros gyda theuluoedd, a dyna a wnawn ni bob amser pan fo dewis. Mae ambell i gyfeillgarwch yn cael ei sefydlu, cyfeillgarwch sy'n parhau trwy gardie a llythyre. Un o'r teuluoedd hynny ydi teulu Phyllis Jones a'i gŵr, Dick – hi oedd Llywydd Cymdeithas Merched Cymru yn Seattle a chyda hi a'i gŵr y buodd Ann a finne'n aros tra oedden ni yn Seattle. Ganddi hi, mewn llythyr, y cawson ni wybod mai'r artist o Gymru fydde'n ymweld ag America i ganu yn nathliade Gŵyl Ddewi am 1994 fydde merch o Gorwen, Ann Atkinson!

Ann Pugh oedd ei henw hi pan oedd yn un o'r artistiaid ar y daith i Maasbree yn yr Iseldiroedd efo Côr Meibion Bro Glyndŵr yn 1990. Rydw i'n nodi'r ymweliad hwnnw am mai un arall o'r unawdwyr ar y daith oedd Alun Jones (Alun Bryn Ifan), y baswr enwog o Benllyn yn wreiddiol. Y tro ola i mi ganu ar yr un llwyfan â fo oedd mewn cyflwyniad o'r enw 'Emynwyr Meirion' yn y Babell Lên yn Eisteddfod Genedlaethol Meirionnydd yn

1997. Roedd o wedi gwella'n dda o afiechyd blin ac wedi ailddechre canu. Ond gwellhad dros dro oedd o ac mi fu farw'n fuan wedyn, er mawr golled bersonol i ni oedd yn ei nabod yn dda ac yn gyfeillion iddo, a cholled fawr i ganu yng Nghymru yn ogystal.

Pan oeddwn i ar ymweliad â De Affrica a threfniant wedi'i neud inni aros efo teulu yn Johannesburg mi ofynnwyd cwestiwn i mi. 'Oes ganddoch chi rywbeth yn erbyn cathod neu gŵn?' 'Bobol annwyl, nagoes,' meddwn i, gan weld y cwestiwn yn un od braidd. 'Popeth yn iawn felly,' oedd yr ateb, ac wedyn mi gefais yr esboniad. Roedd canwr enwog wedi ymweld ychydig ynghynt ac roedd o i fod aros yn yr un lle, llety lle roedd cathod a chŵn. Ond roedd ganddo alergedd i gathod a bu'n rhaid trefnu ar frys iddo aros mewn gwesty neu mi fydde wedi colli ei lais. Ond doedd dim probleme felly efo fi.

Mi fydda i'n eitha nerfus cyn canu, a rhyw hen gnec arna i nes y bydda i wedi dechre, fel tase gen i annwyd, ac mi fydda i'n fwy nerfus byth os nad ydw i wedi cynefino efo'r cyfeilydd. O ddewis, mae'n well gen i fynd â 'nghyfeilydd fy hun efo fi i bobman a dydw i ddim yn hapus iawn pan fydd y trefnwyr yn deud bod ganddyn nhw gyfeilydd da. Un peth ydi cyfeilydd da, peth arall ydi cael un dwi wedi arfer efo fo. Ond yn Seattle, felly roedd hi, yr un cyfeilydd bob tro a finne wedi dod i'w nabod.

Mae'r ymweliad â Johannesburg, De Affrica, yn 2001 yn un na wna i ac Ann fyth ei anghofio. Er i ni gael cyfle i fynd i Cape Town a gweld y Table Mountain enwog, yn ogystal â'r carchar y treuliodd Mandela ei flynyddoedd ynddo, y cof arhosol yw hwnnw am Johannesburg ei hun a'r awyrgylch dreisgar oedd yno. Roedden ni yn y ddinas ar wahoddiad y Gymdeithas Gymraeg ar gyfer cyngerdd a chymanfa ganu, ac yn aros efo Tony Davies a'i wraig, Wendy. Roedd Tony yn ŵr amlwg, efo swydd bwysig mewn cwmni mawr oedd yn rhedeg lorïau, a fo oedd arweinydd Cymru a'r Byd yn yr Eisteddfod Genedlaethol yng Nghasnewydd yn 2004. Roedden ni'n ffodus i gael aros efo fo a Wendy gan eu bod yn bobol garedig iawn, a doedden ni ddim yn licio'r syniad o orfod aros mewn gwesty yn y ddinas gan ei fod yn lle mor beryglus.

Roedd cartre Tony a Wendy yn un o nifer o

dai ac adeilade y tu mewn i ffens uchel, gref a chyda dynion arfog yno i warchod y lle. Cawsom ein rhybuddio i beidio â mynd y tu allan i'r weiren ar boen ein bywyd. Fydde Tony ei hun byth yn stopio'i gar wrth olau coch; yn hytrach, mi deithiai'n araf ar hyd y ffordd nes y bydde'r gole'n newid, a sicrhau hefyd ei fod yn cuddio ei wats a'i ffôn symudol. Unwaith, wrth deithio mi gafodd Ann ei gorchymyn i guddio'i phwrs rhag i rywun roi ei law drwy'r ffenest a'i ddwyn. Roedd bod yno'n brofiad eitha arswydus a deud y gwir, gan fod pris isel iawn ar fywyd yno.

Profiad i ychwanegu at yr arswyd oedd mynd i'r capel a chlywed y gweinidog ar ddechre'r gwasaneth yn cydymdeimlo efo teuluoedd y rhai gafodd eu llofruddio, a dymuno'n dda am adferiad i rai a gawsai eu niweidio mewn ymosodiade cïaidd. Cawsom gyfle i weld y *shanty towns* a sylweddoli amgylchiade byw mor erchyll oedd gan y rhan fwya o'r bobol.

Un ymweliad tramor arall sy'n aros yn y cof ydi'r un efo Côr Meibion y Fron i dalaith Winsconsin. Gwraig o'r enw Betty Bettin a wnaeth y trefniade lleol, ac roedd ganddi hi wyth o gefndryd yng Nghôr y Fron, gan gynnwys yr is-lywydd, Dennis Williams. Wn i ddim ai hi oedd yn gyfrifol am yr adroddiade yn y wasg leol am yr ymweliad, ond ym mhob un y cefais i gopi ohono mae cyfeiriad ata i fel y 'singing shepherd', un a fydde, yn ôl yr adroddiade, yn canu i'w ddefed, ac nad oedden nhw byth yn mynd i gysgu!

Ond mi wnes i ganu am ddau o'r gloch y bore unwaith mewn un cartre yn Oskosh, Winsconsin, gan ddeffro pawb yn y tŷ. Roedden ni'n aros efo Carol Owens a'i gŵr, Elmer, a'u mab, Mathew. Teulu trydedd cenhedlaeth o ffermwyr oedden nhw ac roedd Carol o dras Gymreig ac yn ddynes bwysig iawn, yn aelod o Asembli Talaith Winsconsin ac yn gadeirydd y pwyllgor tai. Ar y pryd roedd yn ymladd etholiad yno. Mewn llythyr a dderbynies ganddi ar ôl cyrredd adref mi ddwedodd iddi ddeffro un noson tua dau gan fod fy llais i'n llenwi'r tŷ. Mi aeth i lawr y grisie i weld be oedd yn bod. Un o fy recordie i oedd yn y chwaraewr recordie, roedd hi'n noson andros o stormus, a mellten wedi effeithio ar y peiriant gan ei droi ymlaen!

Beth amser ar ôl yr ymweliad mi gefais lythyr hefyd gan Betty Bettin yn deud bod Elmer, gŵr

Carol, wedi gorfod gwerthu ei holl anifeilied am nad oedden nhw'n talu, ei fod wedi troi'r ffarm i godi cnydau, yr hyn a alwai ef yn cash crops, cynnyrch y galle ei werthu'n syth am arian. Trist oedd clywed bod yr un probleme ym myd ffarmio i'w cael ym mhobman dros y byd, bron, a bod ffermwyr wrth y cannoedd yn rhoi'r gore iddi. Deng mlynedd yn ôl oedd hynny, a dydi pethe wedi gwella dim – wedi gwaethygu maen nhw, os rhywbeth. Mi fydd bwyd cyn brinned ag olew – a chyn ddruted – yn fuan iawn.

Mae teithio efo corau a phartïon wedi dod yn rhywbeth poblogaidd a chyffredin iawn erbyn hyn, a rhaid cofio y bydd corau a phartïon, ac unigolion hefyd, yn ymweld ag ynysoedd Prydain a Chymru'n rheolaidd, ac yn enwedig i gystadlu yn Eisteddfod Llangollen. Rhyw ddeuddeng mlynedd yn ôl bellach, mi ddaeth ymwelydd arbennig iawn i'r ŵyl yno.

Er nad ydw i'n hoffi haglo dros bris dim byd, eto rydw i'n licio cael bargen – fel pob ffarmwr arall, am wn i. Ond y tro yma, roeddwn i'n meddwl 'mod i'n glyfrach nag oeddwn i, ac fel hyn y bu.

Yn 1995 mi ddychwelodd y tenor byd-enwog

Luciano Pavarotti i Eisteddfod Llangollen. Roedd o wedi bod yno 40 mlynedd ynghynt ac ynte'n llencyn 19 oed yn canu efo côr ei dref enedigol, Cymdeithas Gorawl Gioacchino Rossini o Modena yn yr Eidal, gan sefyll yn y côr wrth ochr ei dad, Fernando, oedd hefyd yn denor.

Roedd hwn yn achlysur mawr, yn achlysur cwbl arbennig, a phobol yn dechre holi, 'Wyt ti'n mynd i Langollen i glywed Pavarotti ac i'w gyfarfod o?'

Wel, roedd y tocynne i'r cyfarfod yn ddrud, yn £125 yr un i gael bod yn un o'r criw fydde'n cael mynd i dderbyniad arbennig lle bydde fo'n bresennol, a doeddwn i ddim wir wedi meddwl mynd. Ond roedd pobol yn holi Gwyn, y mab, yn y farchnad yn Rhuthun ac mi ddwedodd Elfed Plas yn Rhâl, sy'n ffarmio y tu allan i Ruthun, wrth Gwyn y base fo'n dod efo fi taswn i'n mynd. Dywedodd Gwyn y dylswn i fynd ar bob cyfri.

Roedd deg ohonon ni am fynd yn y diwedd, gan gynnwys rhai ffrindie o gyffinie Caer, ac mi brynes i'r tocynne efo'i gilydd, gan dalu £1,250 amdanyn nhw, oedd yn bres mawr.

Ond mi gawson ni amser i'w gofio. Mewn

stafell i fyny'r grisie roedden ni, yn gallu edrych i lawr ar y dyrfa yn dod i mewn i'r pafiliwn. Mi gawson ni fwyd a diodydd ac mi gerddodd Pavarotti o gwmpas am ychydig, ond wnaeth o ddim siarad efo neb. Dwi'n credu bod tocynne i fwyta efo fo'n costio'n ddrutach fyth ac yng Ngwesty Bryn Hywel roedd y digwyddiad hwnnw, yn gynharach yn y noson. Ac yn ôl pob sôn, welodd y rhai oedd wedi mynd i'r fan honno fawr mwy arno fo nag a welson ni.

Roedd o'n gyngerdd arbennig, a lle arbennig ganddon ni i eistedd, ac roedd o'n werth pob ceiniog. Roedd y lleill wedi 'nhalu i am eu tocynne wrth gwrs, ond mi sylwes fod y pris yn cynnwys treth ar werth, a chan mai fi oedd wedi rhoi'r siec am y cyfan mi feddylies y cawn y dreth yn ôl, a mi fydde Ann, o ganlyniad, wedi cael ei thocyn hi am ddim. Felly dene roi'r swm i lawr ar fy ffurflen hawlio treth ar werth ar ddiwedd y flwyddyn a meddwl 'mod i'n foi reit glyfar gan i bopeth fynd trwodd yn iawn, a finne'n derbyn yr arian.

Ddwy flynedd yn ddiweddarach mi ges i archwiliad treth ar werth, rhywbeth sy'n digwydd yn achlysurol. Mi ddaeth yna ferch

glên iawn i 'ngweld i a mynd trwy'r dogfenne.
Y peth cynta sylwodd hi arno oedd y siec am
y swm o £1,250 a dene ofyn beth oedd o. Mi
ddwedes mai tâl am docynne i fynd i gyngerdd
Pavarotti oedd o, bod gen i nifer o ffrindie
yng nghylch Caer gan 'mod i'n pori llawer
o ŵyn yno, a'm bod yn eu tretio i fynychu'r
cyngerdd!

'Mae'n ddrwg gen i,' medde hi yn Saesneg,
'ond allwch chi ddim gwario mwy na £25 y
person. Dwi'n ofni y bydd yn rhaid ichi dalu'r
dreth ar werth yn ôl, ond o leia dech chi wedi'i
gael o yn ddi-log am ddwy flynedd.'

Na, doeddwn i ddim mor glyfar wedi'r
cwbwl!

I ddod yn ôl at y teithio, mae yna un fordaith
arall yn yr arfaeth. Yn 2010 mi fydd Ann a
finne'n dathlu ein priodas aur, hanner can
mlynedd ers y briodas gafodd ei seilio ar
ddyweddïad efo modrwy ddeuddeg punt.
Mae'r llo brynes i efo'r arian wedi hen fynd,
ond mae'r fodrwy yn dal ar fys Ann! Y bwriad
ydi mynd i Fôr y Canoldir drachefn gan hwylio
o Southampton, a'r trefniade, fel bob amser
erbyn hyn, gan gwmni Traveland.

Mi alla i felly ddal i ganu '... ac i wledydd pella'r byd...'

Pennod 9

'Diolch am gael bod yng Nghymru'

NA, FASWN I DDIM yn dymuno byw na bod yn unman arall, ond bobol bach, dydi hi ddim mor hawdd â hynny i gael tŷ yng Nghymru, fel mae llawer o gyple ifanc yn sylweddoli heddiw. A fuodd hi ddim yn hawdd i mi gael caniatâd i adeiladu'r tŷ rydw i'n byw ynddo fo rŵan, chwaith.

Fel y crybwyllais eisoes mae'r meibion, Gwyn ac Erfyl, bellach yn bartneriaid yn y busnes efo Ann a fi. Pan briododd Gwyn mi aeth i fyw i Pencraig Mawr, ond pan benderfynodd Erfyl a Menai Richards o Gerrigydrudion briodi, doedd nunlle ar gael iddyn nhw gan fod Erfyl yn byw efo ni ym Mhen Brynie.

Felly, ym Mai 1994 dyna neud cais i Gyngor Glyndŵr am ganiatâd i godi tŷ ychwanegol ym Mhen Brynie, ar sail y ffaith y bydde fo'n dŷ i weithiwr ar y ffarm gan fod Erfyl yn bartner, ac roedd caniatâd i'w gael i godi tai o'r fath.

Mi nodwyd rhesyme eraill hefyd dros wneud y cais, yn arbennig felly'r ffaith 'mod i i ffwrdd yn amal ar deithie a chyngherdde'n canu, a fydde neb ar y buarth fel petai i ofalu am y lle. Dydi ffermydd ddim yn llefydd i'w gadel heb fod neb yn agos, gan fod 'ne gymaint o ddwyn, mae'n amhosibl cadw pob dim dan glo, na rhagweld chwaith be sy'n debyg o gael ei gymryd, gan fod 'ne farchnad i bron bopeth. Mae 'ne straeon rhyfedda yng nghefn gwlad am offer a pheirianne o bob math sy wedi cael eu dwyn oddi ar ffermydd.

Wnes i ddim dychmygu y bydde 'ne unrhyw anhawster a phan oedd y cais yn cael ei drafod a hynny tua diwedd Awst, roeddwn i ac Ann yn ddigon pell i ffwrdd ar y *Canberra*. Ond fe'i gwrthwynebwyd gan Phil Durrell, pennaeth cynllunio'r cyngor, a ddwedodd nad oedd anghenion amaethyddol gwirioneddol wedi'u profi, beth bynnag oedd o'n ei feddwl wrth hynny. Mi dderbyniodd y cyngor adroddiad wedyn gan arbenigwr ac mi ddwedodd hwnnw y bydde adeiladu'r tŷ yn golygu bod trydydd tŷ yn gysylltiedig â'r busnes (Pencraig Mawr a Pen Brynie oedd y ddau arall) ac nad oedd modd cyfiawnhau hynny.

Ond trydydd tŷ i drydydd teulu fydde fo. Beth bynnag, roeddwn i'n rhy bell i ddadle ar y pryd. Aeth Phil Durrell ymlaen i ddeud nad oedd angen gwirioneddol wedi'i brofi ac y bydde rhoi caniatâd ar sail hwylustod yn hytrach nag angen yn creu cynsail peryglus, ac y galle hynny arwain at fwy o dai yn cael eu hadeiladu ar gyfer gofynion gwylie. Yr hyn wnaeth y cyngor oedd gohirio penderfyniad nes y bydde ymchwiliad pellach wedi'i wneud i'r mater.

Nid mewn diwrnod mae problem fel hon yn cael ei datrys, a llusgo yn ei blaen wnaeth hi am fisoedd. Roedd hi'n ddiwedd Ionawr – 24 Ionawr 1995 a bod yn fanwl gywir – cyn imi gael y newyddion da, fod y cais o'r diwedd wedi'i ganiatáu. Mi ges i gefnogaeth y cynghorydd lleol, Rhys Webb, ac mi gafwyd geirie o gefnogaeth hefyd gan o leia ddau gynghorydd ar y pwyllgor a oedd yn amlwg yn deall probleme ffarmio.

Roedd y swyddog cynllunio wedi nodi y bydde rhoi caniatâd yn golygu y bydde trydydd tŷ ynghlwm wrth y busnes, a bod hynny'n ormod. Ond mi ddwedodd y Cynghorydd Eryl Williams, ac ynte'n ffarmwr ei hun, y gallai'r busnes yn hawdd gymryd deg o weithwyr tra mai'r cyfan oedd ganddo mewn gwirionedd oedd tri pherson amser llawn a gwraig, er, fe ychwanegodd fod gwragedd yn amal yn gwneud gwaith pedwar dyn! Mi nododd ymhellach y byddai'n rhaid i'r mab symud o Ben Brynie pan briodai, ond y byddai'n rhaid iddo fod wrth law, hyd yn oed am dri o'r gloch y bore pan fyddai galw.

Fe'i cefnogwyd o gan gynghorwyr eraill, gan gynnwys y Cynghorydd W O Jones, a ddwedodd ei bod yn hen bryd edrych ar ffarmio fel busnes ac nid fel rhywbeth oedd wedi bod yno erioed ac a gâi ei gymryd yn ganiataol. 'Mae'r economi wledig yn dibynnu ar ffarmio,' meddai, 'ac mae'n hen bryd i ni ei gefnogi.'

Pan gefais i'r caniatâd mi ddaeth gohebydd o'r *Vale Advertiser* yma i gael y stori a thynnu fy llun, fy llun a'm breichie ar led yn canu yng nghanol y defed – be arall, efo'r capsiwn 'Trebor Edwards – has plenty to sing about.' Tase'r llun wedi mynd i'r 'Merica mi fase'n cadarnhau eu cred yno mai singing shepherd oeddwn i!

Mi ohiriwyd y briodas nes bod y tŷ'n barod, ac fe'i cynhaliwyd ar 27 Gorffennaf 1996 yng Nghapel Jerwsalem, Cerrigydrudion. Gwyn, y brawd hyna, oedd y gwas ac roedd tair morwyn – dwy chwaer Menai, sef Teleri Roberts ac Iona Richards, ac Alwen, nith Erfyl. Y Parch. Elfyn Richards oedd yn eu priodi a Siwan Edwards oedd yr organyddes.

Yr hyn ddigwyddodd wedyn oedd i Erfyl a'i briod fyw ym Mhen Brynie ac i Ann a finne symud i'r tŷ newydd a rhoi Bryn Alaw yn enw arno, er mwyn cysylltu efo Pen Brynie ac am mai Bryn Mawr oedd enw'r cae ar draws y ffordd. Roedd yr ail enw'n un amlwg er mwyn cyfuno dau fyd – byd y ffarmio a byd y gân.

Doeddwn i ddim yn canu, fodd bynnag, rai blynyddoedd ynghynt pan landies i yn y llys am drosedd dreifio. Roedd gen i lori wartheg ym Mhen Brynie ac mi fyddwn i'n ei defnyddio i gario gwair a byrne gwellt yn ogystal â gwartheg heb drafferth yn y byd.

Ond mi weles unweth fod slipars lein ar werth yn rhywle yng nghyffinie Queensferry, ac roeddwn eu hangen i adeiladu pit silwair ar y ffarm. Felly dyma fi'n eu prynu ac yn mynd â'r lori i'w nôl. Wnes i ddim meddwl bod dim

byd o'i le, ond yn sydyn ar allt Queensferry
dene stop a'm gorchymyn i mewn i *lay-by*. Yr
heddlu! Roedden nhw'n gneud spot checks
ar lorïau ac mi fues i'n anlwcus. Y degfed ar
hugien o Fehefin 1985 oedd hi. Bore Sul!

Roedd popeth yn iawn efo'r lori, y disel,
y teiars a'r goleuade a phethe felly, ond pan
welodd y ddau blismon y llwyth roeddwn i'n
ei gario, dene ofyn am fy nhrwydded arbennig
(operator's licence) a doedd gen i mo'r ffasiwn
beth. Wyddwn i ddim fod angen un arna i, a
doeddwn i ddim yn gweld y drosedd yn un
ddifrifol iawn, yn fwy o gamddealltwrieth nag
o ddim arall. Ond yn nechre Hydref, i'r llys
yn yr Wyddgrug y bu'n rhaid imi fynd, ac mi
benderfynes amddiffyn fy hun yno.

Mi ddwedes na wyddwn i ddim fod yn rhaid
imi gael trwydded arbennig i gario'r slipars
lein gan mai at fy iws fy hun ar y ffarm yr
oedden nhw ac nad oedd gen i fwriad i fynd â
nhw i neb arall na'u gwerthu. Mi wnes i hefyd
ailadrodd yr hyn ddwedes i wrth y plismon y
diwrnod hwnnw, sef mai *one-off* oedd y slipars
lein ac mai anifeilied fydde'n cael eu cario yn
y lori'n arferol.

Dwi ddim yn cofio pwy oedd ar y fainc, rhai

di-Gymraeg mae'n debyg, ond roedden nhw'n rhai synhwyrol iawn; mi ddaru nhw gredu'r hyn ddwedes i a'm rhyddhau'n ddiamod.

Dwi wedi sôn eisoes bod y math o gar ac ym mhle y cafodd ei gofrestru'n bwysig o safbwynt cael stop gan yr heddlu. Wel, dwi'n grediniol bod gwisg y dreifar hefyd yn bwysig, a pha adeg o'r nos ydi hi.

Dwi'n cofio teithio adre efo Ann o gyngerdd yng Nghoed-llai, a'r plismon yn fy stopio. Roeddwn i'n gwisgo siwt a chrys gwyn, ac mi holodd ble oeddwn i wedi bod. 'Yn canu,' meddwn i.' 'Canu?' medde fo yn Saesneg fel tase fo'n methu deall y peth. 'Ie,' medde fi, 'canu.'

Mi fynnodd roi'r bag i mi, ac wrth gwrs roeddwn i'n hollol glir, wedi bod yn canu mewn capel a heb yfed dim byd cryfach na the. Y siwt a'r crys oedd y drwg, dwi'n siŵr, a fynte'n meddwl i mi fod mewn parti. 'I suppose I'll have to let you go,' medde fo gan swnio fel tase fo'n siomedig nad oedd o wedi fy nal yn yfed a gyrru.

Fues i ddim mor lwcus wrth deithio adre o gyngerdd yn Llanfairfechan lle roeddwn i wedi bod yn rhannu llwyfan efo Emyr ac Elwyn.

Roedd car ara deg iawn yn mynd o 'mlaen i ac yn symud o ochor i ochor fel tase'r dreifar yn sbio o'i gwmpas neu wedi meddwi. Mi fues i y tu ôl iddo am hir, ond yna pan ddois i at ddarn syth o ffordd ger Tal-y-cafn dene roi troed i lawr a mynd heibio iddo fo.

Ond roedd car plismon y tu ôl i mi ac mi pasiodd fi a'm stopio. Mi ddwedodd 'mod i wedi croesi'r llinell wen lle roedd crwb yn y ffordd a'm bod i felly yn torri'r gyfreth.

Roeddwn i'n reit flin ac mi ddwedes wrtho y bydde'n rheitiach iddo fo fod wedi stopio'r car oedd o 'mlaen i gan fod hwnnw 'di crwydro dros y llinell wen 'nôl a blaen am filltiroedd. Ond wnâi o ddim gwrando, er ei fod o ei hun hefyd wedi croesi'r llinell wen wrth ein pasio ni, ond 'nes i ddim edliw hynny iddo fo! Roeddwn i mewn dillad ffurfiol y noson honno fel yng Nghoed-llai a dwi 'di meddwl llawer tybed oedd o'n gobeithio cael cyhuddiad mwy nag a gafodd wrth fy stopio!

Mi fwciodd fi, beth bynnag, ac i'r llys yn Llanrwst y bu'n rhaid imi fynd, gan fy amddiffyn fy hun y tro yma unwaith eto. Mi ofynnwyd i mi pam na fase Ann wedi dod fel tyst i mi ac mi ddwedes nad oedd 'ne ddim pwrpas gan mai'r cyfan fase hi wedi'i ddeud fase yr un peth â fi.

PC Michael James oedd y plismon oedd yn tystio yn fy erbyn ac mi ddwedodd 'mod i wedi teithio am ugien llath ar ochr anghywir y llinellau dwbwl. Mi ddwedes inne 'mod i'n dreifio ers deng mlynedd ar hugien ac na faswn i byth yn pasio mewn lle gwirion.

Beth bynnag am hynny, euog oedd y ddedfryd, ac mi ges i ffein fechan o ugien punt a decpunt o gostau. Ond yr hyn oedd yn brifo, fodd bynnag, oedd imi gael tri phwynt ar fy nhrwydded a difetha fy record o gael trwydded hollol lân. Dyna'r tri phwynt cynta imi eu cael, a'r ola hefyd – hyd yn hyn, beth bynnag.

Dwi wedi dreifio llawer erioed – pob math o gerbyde i bob math o lefydd, gan gynnwys dreifio'r bws bro am gyfnod byr. Mi oedd y syniad o fws bro'n boblogaidd iawn yn niwedd y saithdege ac mi gafwyd un yn ardal Uwchaled i gario siopwyr i Ruthun a Dinbych, i Gorwen a'r Bala. Ond doedd trwydded car neu drwydded lori ddim yn ddigon, roedd yn rhaid cael prawf arbennig a thrwydded arbennig ac mi drefnwyd ein bod, nifer ohonon ni, yn mynd i Gaer i sefyll y prawf.

Roedden ni'n gweld hynny'n beth gwirion ar
y naw – prawf gyrru mewn dinas brysur efo
goleuade traffig a chylchdroade di-ri er mwyn
gallu dreifio mewn ardal wledig lle roedd
ffyrdd culion a gwrychoedd uchel yn llawer
mwy o fygythiad. Am unwaith mi lwyddwyd
i berswadio'r awdurdode ac mi ddaeth un
o'r swyddogion draw i roi prawf i ni ar ein
ffyrdd ein hunen. Mi basies i ac Ann y prawf
ond rhaid imi gyfadde iddi hi ddreifio llawer
mwy ar y bws nag a wnes i. Ar y cychwyn mi
gafodd gefnogaeth dda, ond fel popeth arall
mi aeth ei gyfnod o heibio yn y man ac mae o
wedi peidio â bod ers blynyddoedd bellach, ac
un o'r cwmnie bysys masnachol sy'n cynnig y
gwasaneth erbyn hyn.

Mi sonies mai dod adre o gyngerdd efo Emyr
ac Elwyn oeddwn i'r noson honno pan ges i fy
stopio am fynd dros y llinell wen. Mi ddaeth
un ohonyn nhw'n enwocach fel Gari Williams
wedyn wrth gwrs, ac mi ddois i'n ffrindie
mawr efo fo. Mi fu yma mewn Noson Lawen
ym Mhen Brynie, y gynta inni ei chynnal ar y
ffarm, dwi'n meddwl, ac mi wnes i ymddangos
ar lawer o lwyfanne efo fo dros y blynyddoedd.
Fo oedd un o'r ddau arwyddodd fy ffurflen
Equity i. Colled bersonol fawr a cholled i

Gymru oedd ei farw sydyn yn 1990.

Un o freintie penna 'mywyd oedd cael canu'r emyn 'O fy Iesu bendigedig' yn y cyfarfod yn Seion, Llanrwst, i ddiolch am ei fywyd. Cyfarfod bythgofiadwy oedd hwnnw, a'r capel dan ei sang. Mi fydd enwi'r rhai oedd yn cymryd rhan yn atgoffa llawer am Gari ac yn dangos hefyd un mor bwysig oedd o yng ngolwg y genedl. Y Parch. Eryl Lloyd Davies drefnodd y cyfarfod a fo oedd yn llywyddu, Trefor Selway yn arwain, Dafydd Lloyd Jones yn organydd a T J Williams yn arwain y gân, gyda'r Parchedigion Goronwy Prys Owen ac O Emlyn Jones hefyd yn cymryd rhan.

Mi gafwyd teyrnged gan Dafydd Elis Thomas a chyflwyniade gan Hywel Gwynfryn, John Ogwen a Sulwyn Thomas. Mi gafwyd eitem gan Gôr Merched Carmel dan arweiniad Maureen Hughes a Mair Williams, ac roedd y canu ar yr emynau yn wefreiddiol: 'O Grist, Ffisigwr mawr y byd' ar 'Deep Harmony', 'Pan wyf yn teimlo'n unig lawer awr' ar y dôn 'Ellers', 'Dy ewyllys di a wneler' ar 'Bore'r Geni' – tôn ardderchog Arthur Vaughan Williams, a'r cyfan yn dod i ben gyda'r gynulleidfa yn codi'r to ar y diwedd wrth ganu geirie Lewis

Valentine – 'Dros Gymru'n Gwlad' ar y dôn 'Finlandia'.

Mae taflen y cyfarfod gen i o 'mlaen, efo llun da ohono ar y clawr a'r geirie 'Gwasanaeth o Ddiolch am Gari', a dau englyn – un gan Myrddin ap Dafydd a'r llall gan Gwilym Roberts:

Ni wêl henaint mo'i glownio – nid a'i hwyl
Yn dawelwch ynddo,
Yn ei ddawn, hogyn fydd o,
Yn ei wit, bachgen eto.

MYRDDIN AP DAFYDD

Gari'r consuriwr geiriau – a'i wên fawr
A'i fyrdd ffraethinebau;
Â'r ddawn, a ddifyrrai ddau,
Ef a lonnodd filiynau.

GWILYM ROBERTS

* * *

Rhag i neb feddwl mai fy unig berthynas i â'r heddlu fu cael fy stopio o dro i dro wrth yrru, gwell nodi imi unwaith orfod dibynnu arnyn nhw i gyrraedd adref. Roeddwn i wedi bod yn canu mewn cyngerdd yn Aberhonddu ac yn teithio'n ôl, fi ac Ann, yn hwyr y nos, y petrol yn y tanc yn isel a phob garej wedi cau. Yn Llangollen mi ddigwyddodd yr hyn oeddwn i wedi bod yn ei ofni, mi stopiodd y car a doedd dim posib ei aildanio, roedd y tanc yn wag. Doedd dim i'w wneud, gan fod pobman wedi cau, ond galw'r heddlu, a chware teg iddyn nhw, mi ges ddigon o betrol ganddyn nhw i gyrraedd adref.

Mi wnes i hefyd ganu mewn cyngerdd gyda Chôr Meibion Heddlu Gogledd Cymru i godi arian at gronfa Ellis Parry Owen. Aelod selog o'r côr hwnnw oedd Neville Hughes, enillodd ar y ddeuawd efo fi yng nghystadleuaeth Dyma Gyfle yng Nghorwen. Erbyn hynny roedd o'n blismon yn Ninbych.

Mab Huw Parry Owen, Foel Grachen, oedd Ellis, a'r teulu yn hanu o Felin-y-wig. Roedd 'Huw Parry', fel y gelwid o, yn gymeriad gyda llawer o straeon amdano ar lafar gwlad, yn enwedig ei atebion parod. Un o'r rhai enwocaf yw'r un amdano'n gwerthu buwch yn y farchnad yng Nghorwen a Frank Owen, yr ocsiwnïar, yn gweiddi arno: 'Huw Parry, does gan y fuwch yma ond tair teth, fydd hi'n da i ddim i fagu.' Mi ddaeth yr ateb fel ergyd o wn, 'Mi fagodd Mam wyth o blant ar ddwy!'

Teulu arbennig oedd teulu Huw Parry, a'i blant yn rhai peniog tu hwnt. Mi ddringodd Ellis i fod yn Brif Arolygydd yn yr heddlu ac roedd o'n fawr ei barch gan bawb.

Yn anffodus, ac ynte ond ifanc, mi gafodd strôc a'i gadawodd wedi'i barlysu'n ddrwg, ac yng Nghartref Cheshire ym Mhontfadog y treuliodd o flynyddoedd ola'i oes. Mi benderfynodd yr heddlu sefydlu cronfa i brynu cader olwyn drydan iddo, ac un o'r gweithgaredde a drefnwyd oedd cyngerdd ym Mae Colwyn ac fe'm gwahoddwyd, trwy lythyr, i ganu ynddo, ac roeddwn i'n falch o gael gneud.

Mi godwyd yr arian ar gyfer y gader – a mwy, yn fuan iawn. Mi gefais wahoddiad hefyd i'r seremoni ym mhencadlys rhanbarthol yr heddlu yn Wrecsam lle y cyflwynwyd y gader i Ellis ei hun, a gweddill yr arian i Fetron y cartre i'w ddefnyddio er budd y cleifion ym Mhontfadog.

Mae'r ddau lythyr dderbynies i gan Emlyn Edwards, ysgrifennydd y gronfa apêl, gen i o hyd, ymhlith cannoedd o lythyrau eraill dderbyniwyd dros y blynyddoedd o Gymru, ac ar draws y byd. Ac nid pawb oedd yn gwybod fy nghyfeiriad, fel yr un ddaeth acw yn 1981 gyda'r cyfeiriad: Mr Trebor Edwards, Farmer and Singer, Betws Gwerfyl Goch. Roedd rhywun, o'r swyddfa bost mae'n siŵr, wedi ychwanegu 'Try Corwen' at y cyfeiriad ac mi gyrhaeddodd yn saff. Daeth amlen arall rywdro ac arni: 'Y Trebor Edwards, Betws Gwerful Goch.' Hoffi'r 'Y'!

Ond yr enghraifft ore un oedd llythyr ddaeth i Ben Brynie ddiwedd Mehefin 1985 gan ŵr o'r enw George Bright o Gateshead, a'r cyfeiriad yma arno: Mr Trevor Edwards, (Farmer, Vocalist, Recording Star) Denbigh Area, Denbigh, North Wales. Mae 'ne ddigon o gwyno ar y gwasaneth post, ond weithie, chware teg, ma nhw yn medru cyflawni gwyrthie!

Dwi wedi bod yn ffodus iawn i gael Ann yn ysgrifenyddes answyddogol i mi, a dros y blynyddoedd, hi sy wedi cadw'r llythyre, a'u hateb fel roedden nhw'n cyrraedd: llythyre gan rai oedd wedi fy nghlywed yn canu ar y radio neu'r teledu, llythyre gan rai a'm clywodd mewn cyngerdd, ambell lythyr yn gofyn

233

am eiriau cân, ambell un yn cynnig geirie, llawer o lythyre gan bobol unig oedd yn cael y caneuon, ar record gan amlaf, yn gysur ac yn gwmni iddyn nhw. Mae'r llythyre yma wedi gneud imi sylweddoli cymaint o bobol unig sydd yna, gymaint o bobol mae'n dda iddyn nhw gael rhywun i rannu eu gofidie efo nhw, a sylweddoli hefyd gymaint o gwmni mae'r cyfrynge'n gallu bod.

Mae rhai o'r llythyre yn mynd yn ôl bron i'r cyfnod ar ddechre fy ngyrfa fel canwr, ac mae'n hawdd iawn i'r pen chwyddo wrth ddarllen y geirie canmoliaethus. Gobeithio nad ydi hynny wedi digwydd yn fy hanes i. Mae'n amlwg fod amryw o'r llythyrwyr yn gwybod be di be – dene i chi yr un Saesneg ges i gan wraig ffarm o Sussex mor bell yn ôl â 1978.

Roedd hi wedi rhoi'r record ymlaen er mwyn cael canu yn y cefndir wrth iddi hi fynd ati i sgrifennu llythyre. Ond, medde hi, 'Fe fu'n rhaid imi roi'r gorau i bopeth a gwneud dim byd ond gwrando.' Mi ddwedodd hefyd rai pethe oedd, mae'n siŵr gen i, yn help imi ar y pryd, megis ei bod fel arfer yn feirniadol o denoriaid am eu bod yn gwthio gormod ar y llais ac yn gweiddi, ond nad oeddwn i'n gneud hynny. Roedd yn falch nad oeddwn i, wrth ddefnyddio caneuon pobol eraill, yn ceisio'u hefelychu ond yn rhoi fy nehongliad i fy hun i'r caneuon. Mi ddwedodd hefyd iddi gredu ar hyd y blynyddoedd mai Eidaleg oedd yr iaith orau ar gyfer canu ynddi, ond ei bod wedi newid ei meddwl ar ôl gwrando ar y record, a'i bod yn gosod y Gymraeg yn uwch na'r iaith honno bellach.

Sut y daeth gwraig ffarm o Sussex i glywed amdana i ac i brynu fy record, tybed? Wel, mae'r stori yn ei llythyr. Roedd hi wedi dod ar wylie i Ogledd Cymru ac wedi aros mewn gwesty yn Rhuthun. Y noson gyntaf roedd y gwesty wedi trefnu i Hogia'r Ddwylan a Leah Owen ddod yno i ganu, ac roedd hi wedi'i swyno'n fawr ganddyn nhw, gymaint felly nes iddi wario'r arian a dderbyniodd yn anrheg pen-blwydd cyn ei gwylie i brynu un o recordie'r Hogia ac un o recordie Leah. Roedd peth arian ar ôl ganddi, ac mi ddywedwyd wrthi y dylse hi ar bob cyfri brynu fy record i. A dene wnaeth hi!

Pan ddechreues i dderbyn llythyre'n dilyn cyhoeddi fy recordie yn yr wythdege roedd yn rhaid bod yn ofalus iawn a sensitif hefyd wrth ateb ambell lythyr, ac roeddwn i'n gadel hynny i ddoethineb Ann. Roedd yn rhaid cerdded llwybr canol rhwng bod yn gwrtais a gwerthfawrogol a chadw hyd braich yr un pryd. Erbyn heddiw mae'r arfer o sgrifennu llythyre wedi lleihau, a'r ffôn a'r ffôn bach a'r cardie yn ffordd hwylus o gyfathrebu.

Does wybod o ble daw'r llythyr nesa, na chan bwy. Pan oeddwn i'n cynnal rhaglen geisiade ar y radio mi ddaeth llythyr gan fy chwaer, Margaret, a'i gŵr, ac wrth gwrs roedd yn rhaid i mi roi sylw iddo fo fel i'r lleill. Dyma oedd o'n ddeud:

> Fy nghais, os yn bosibl, yw cael clywed fy mrawd, Trebor, yn canu 'Beibil Mam'. Rwy'n meddwl fod gen i'r brawd ffeindia ac anwyla sydd yn bosib ei gael, ac yn teimlo yn fraint fawr cael bod yn chwaer iddo.

Diolch mai rhaglen radio oedd hi rhag i'r gynulleidfa 'ngweld i'n cochi wrth ddarllen y llythyr!

Un a fydde'n cysylltu'n gyson â mi oedd Bobi Morus Roberts. Ym Mrynrhydyrarian, ger Llansannan, yr oedd ei wreiddiau, ac roedd yn hanu o'r un teulu ag Arthur

Vaughan Williams, y cerddor a'r beirniad o Lanrwst, a Gari Williams. Mi fu Bobi'n gweithio am flynyddoedd yng nghanolfan yr A I yn Rhuthun ac yn Lloegr, mi fu'n canu efo Meibion Menlli ac yn arweinydd ar Hogiau Clwyd. Ar ôl symud i Aberhonddu mi fuodd o'n brysur yn hyfforddi unigolion a phartïon yn yr ardal honno.

Roedd ganddo uchelgais i fod y cynta i dalu can punt i mi am ganu, ac mi lwyddodd! Mi drefnodd noson lawen ar ffarm yn Aberhonddu, flynyddoedd lawer yn ôl bellach, a'm gwahodd i i ganu yno. Roedd ganddo ynte barti o blant yn canu, a mawr oedd ei frwdfrydedd efo'r rheiny. Mi drefnodd i Ann a finne aros mewn motel y tu allan i'r dre, ac yn ddiweddar pan oedden ni yn y cyffinie, dene benderfynu galw i weld y lle a chael paned, er mwyn hel atgofion am yr hen ddyddie, fel petai. Daeth dynes i'r drws a gofyn pwy oedden ni eisiau ei weld. Mae o'n gartre henoed erbyn hyn!

Ond i fynd yn ôl at y noson lawen, mi aeth Bobi i gymaint o hwyl wrth arwain y parti – a chanu efo nhw, fel y disgynnodd ei ddannedd gosod o'i geg i ganol y gwellt. Fe'u cododd nhw'n reit sydyn, eu sychu ar ei lawes a'u rhoi yn ôl yn ei geg gan obeithio nad oedd fawr neb wedi sylwi, ac ynte â'i gefn at y gynulleidfa. Ond roedd hi wedi darfod! Mi ddechreuodd y plant chwerthin a methu canu o ganlyniad, a'r hen Bobi'n andros o flin efo nhw!

Eleni, ym mis Mai, roedd Ann a finne wedi mynd i Lanelwedd i'r Sioe Ffarm a Thyddyn, ac yn cael paned cyn cychwyn adre. Mi ddaeth dynes aton ni a deud, 'Dech chi ddim yn fy nabod i, ond mi dwi'n eich nabod chi, ac yn eich cofio yn iawn yn y noson lawen yn Aberhonddu. Roeddwn i yn un o'r merched oedd yn canu ym mharti plant Bobi Morus pan ddigwyddodd yr anffawd efo'r dannedd!'

Rhyfedd o fyd yntê, a choffa da am Bobi Morus hefyd, fu farw yn 2006 – un a wnaeth lawer dros y Gymraeg yn y canolbarth ac a lwyddodd i ddenu'r Ŵyl Cerdd Dant i Aberhonddu yn 1975 ac wedyn yn 1987, ac yntau'n gadeirydd y Pwyllgor Gwaith. Fo hefyd oedd yn benna cyfrifol am ddenu'r Eisteddfod Genedlaethol i Lanelwedd yn 1993 ac roedd yn un o is-gadeiryddion y Pwyllgor Gwaith. Un heintus ei frwdfrydedd oedd Bobi.

Peth braf ydi cyfarfod cymaint o bobol, ac

mae cofio amdanyn nhw'n cyfoethogi bywyd, er ei fod hefyd ar dro yn codi hireth am amryw sy, fel Gari a Bobi, wedi'n gadael. Oes, mae 'ne golli, ond mae 'ne ennill hefyd, ac yr ydw i'n dal i allu canu '... diolch am gael bod yng Nghymru...'

PENNOD 10

'Fel hyn y ceisiaf ganu cân...'

OS YDECH CHI'N GWYBOD yr alaw 'Scarlet Ribbons', ceisiwch ganu'r geirie yma ar ran gynta'r diwn:

> Drws y llofft yn gil agored
>   Yn ei gwely cysgai hi,
> Ôl y dagrau ar ei gruddiau
>   Llygaid coch o'm herwydd i.
> Maddau imi'r geiriau creulon,
> Maddau i'm am dorri'th galon.
> Distaw nawr yw'r llais fu'n edliw
> I mi fethu cadw ngair...

Gawsoch chi hwyl arni? Wel, mi gawsoch chi bron gymaint o amser i fynd drosti ag a ges i cyn ei recordio!

Mae dod o hyd i ganeuon newydd yn dipyn o job, ac mae'r busnes recordio 'ma'n gofyn am lawer ohonyn nhw, yn fwy felly na chyngerdd.

Mae gen i ddigon o ganeuon ar gyfer y rheiny, a'r un rhai yw'r ffefrynne wedi bod dros y blynyddoedd, a'r alwad i ganu 'Un Dydd ar y Tro' bron ym mhob cyngerdd, neu os bydda i yn Lloegr, y fersiwn Saesneg ohoni – 'One Day at a Time'.

Mi fydd pobol, yn enwedig pobol y wasg, yn gofyn imi'n amal pa un ydi fy hoff gân o'r rhai rydw i'n eu canu, a chan 'mod i wedi canu cymaint erbyn hyn, mae'n anodd ateb, ond mae 'Un Dydd ar y Tro' yn go agos at y top, nid yn unig am ei bod hi mor boblogaidd gan bawb ond am ei bod yn gân mae ei chwmpawd yn siwtio fy llais i i'r dim.

Cwestiwn arall gaiff ei ofyn imi o dro i dro ydi pa un ydi fy hoff ganwr neu fy hoff gôr. Cwestiwn anodd gan fod pethe'n newid o gyfnod i gyfnod ac artistiaid a chaneuon newydd yn ymddangos. Mewn cyfweliad unwaith, yn fuan ar ôl i Gôr Meibion Llanelli gyhoeddi record, dyma ddwedes i:

Mae'n anodd iawn i mi ddewis un record fel 'fy hoff record' oherwydd rwy'n mwynhau llawer iawn o wahanol fathau o ganu. Wrth deithio o le i le yn y car y byddaf yn gwrando ar fiwsig ran amlaf – ac o orfod dewis un record,

record hir Côr Meibion Llanelli fyddai honno, yn bennaf oherwydd eu dewis o ganeuon a'u trefniant ohonynt. Ceir digon o amrywiaeth ar y record hon, o'r ysgafn i'r cyfoes. Rwy'n hoff iawn o lais yr unawdydd yn y gân 'Y Dref Wen' gan Tecwyn Ifan. Mae'n hyfryd hefyd clywed côr yn canu un o ganeuon y diweddar Ryan Davies, caneuon Hogia'r Wyddfa a Dafydd Iwan, a rhai o'r hen ffefrynnau fel 'Myfanwy'.

Mae prinder y gorffennol o gantorion a chaneuon Cymraeg wedi hen ddiflannu a chan fy mod yn gwrando'n ddibaid ar Radio Cymru y dyddie yma rwy'n clywed amrywieth eang o gerddoriaeth, ac mae fy newis o hoff gân neu hoff ganwr yn gallu newid.

Mater gwahanol ydi'r dewis o ganeuon i'w recordio. Mi gyhoeddwyd *Un Dydd ar y Tro* yn 1980 gyda dwsin o ganeuon arni, ond ymhen dwy flynedd roedd angen deg i ddwsin arall ar gyfer y record nesa – *Ychydig Hedd*, ac yna ymhen dwy flynedd yr un nifer drachefn ar gyfer *Gwelaf dy Wên*, ac felly hefyd ar gyfer y recordie eraill.

Dydi hi ddim yn hawdd bob amser cael gafael ar gân sy'n addas. Gore yn y byd po fwya o ganeuon gwreiddiol sydd 'ne wrth gwrs, yn eirie ac yn alawon, ac rydw i wedi bod yn ffodus iawn o gynnyrch rhai fel Ryan Davies, Caryl Parry Jones, Robert Arwyn, Linda Gittins ac Islwyn Ffowc Ellis, heb sôn am Manon Easter Lewis, W E Williams, Margaret Edwards a Gweneurys, fy chwaer.

Mae'n siŵr gen i fod y syniad o brinder yn rhyw fath o obsesiwn gen i, fel mae o i'r rhan fwya o gantorion sy'n recordio falle. Dyma mae Dafydd Iwan yn ei ddeud amdana i: 'Fel rheol, pan fyddwn ni'n cwrdd, rhyw droi at y ffaith fod "caneuon yn brin" ar gyfer y recordiad nesa fyddwn ni, a bydd Trebor yn siŵr o ddeud mai "hen job 'di" ar ryw bwynt neu'i gilydd.' Ac mae hi'n hen job. Pan fydd 'ne sôn am record newydd mae gofyn cael rhyw ddwsin o ganeuon sy'n siwtio fy llais i, sy heb eu recordio gen i o'r blaen, sy ddim wedi ymddangos yn ddiweddar ar albwm neb arall, sy'n debyg o fod yn boblogaidd, ac os mai caneuon Saesneg neu ryw iaith arall yden nhw, rhaid gwneud yn siŵr fod caniatâd ar gael i'w cyfieithu a hynny heb orfod talu gormod am yr hawl.

Mi wnes i fras gyfri o'r caneuon ar bump o recordie hir a chael ffigyre fel hyn:

Caneuon Cymraeg gwreiddiol: 27
Cyfieithiade ac addasiade: 18

Felly, mae'r cydbwysedd yn weddol iach, diolch yn arbennig i emynau Cymraeg, sy'n rhan bwysig iawn o fy *repertoire*.

Ymhlith y rhai sy wedi cyfieithu geirie imi o dro i dro mae Dilys Bayliss, Margaret Edwards, Dafydd Iwan, Huw Jones, ac Edward Morris Jones. Mae'n werth nodi gyda llaw mai peder ar ddeg oedd Edward pan gyfieithodd o ''Rhen Shep', a'i eirie fo fydda i'n eu defnyddio bob amser.

'Cusan Cymod' ydi teitl y gân mae pennill ohoni ar ddechre'r bennod yma, cyfieithiad Huw Jones o 'Scarlet Ribbons' ac mae hi ar y record *Un Dydd ar y Tro*. Ar y trên wrth fynd i Lunden yr aeth Huw ati i'w chyfieithu a thros y ffôn ar ôl iddo gyrredd y cefais i nhw, ac mewn dim o dro roeddwn i'n gorfod eu recordio. Lwcus 'mod i'n gwybod y diwn!

Yr unig rai sy'n feirniadol o'm dewis o ganeuon o dro i dro ydi'r adolygwyr, y rhai swyddogol yn enwedig, a falle fod 'ne rai answyddogol hefyd. Dyma ddwedodd Eric Wyn yn ei golofn 'Sbec ar Bedwar C' yn *Y Faner* yn Hydref 1984, yn dilyn y rhaglen gynta o'r gyfres *Trebo*r:

Rwyf wedi cael fy meio gan sawl un (ar gam mi gredaf) o fod â fy nghyllell yn Trebor Edwards. I'r gwrthwyneb, 'rwyf yn mwynhau ei ganu a'i bersonoliaeth hawddgar, agos-atoch-chi. Yr hyn yr wyf wedi'i feirniadu yw ei ddewis dianturus o *repertoire* nad yw ddim, o bell ffordd, yn gwneud cyfiawnder â'i ddawn.

Dyma'r tro cyntaf iddo gyflwyno ei raglen ei hun, a mae'n rhaid deud bod ei bersonoliaeth annwyl yn dod trwy'r camera i'r parlwr acw. Ond pan roddwyd ef mewn sêt-fawr o set yn union o dan y pulpud, roeddwn yn barod i grogi ei gynhyrchydd.

Mi gyfeiriodd Llion Griffiths hefyd, yn ei adolygiad ar fy record gynta, at y dewis o ganeuon: 'Mi allai rhywun ddadlau, mae'n debyg, ei bod hi'n bur fain ar y cwmnïau recordiau yma os ydynt yn meddwl am recordio pentyrrau o sothach sentimental, a dyna yw dwy o'r caneuon yma mewn gwirionedd – 'Capel y Wlad' a 'Croesffordd y Llan'.

Mi ges i gyfle i ddeud ar raglen Huw Jones, pan gododd ynte'r un pwynt, fod caneuon teimladwy yn dal i afael yn ein cynulleidfaoedd ac mai am y rheiny y bydde pobol yn gofyn bob amser. A chware teg i Llion, mi ychwanegodd o hynny yn ei adolygiad, gan ddeud hefyd fod eu poblogrwydd yn ddigon o reswm dros eu recordio.

Mi gafwyd ateb manylach fyth gan Rhys Jones yn ei adolygiad o'r record *Diolch* yn *Y Faner* ym Mehefin 1987. Dyma ddwedodd o, gan roi cic yr un pryd i'r snobs cerddorol:

Does dim dadl, mae'n siŵr gen i, fod Trebor wedi ennill ei le yng nghalonnau'r rhan fwyaf ohonom ni. Mae'n anodd dirnad weithiau beth yn union yw ei gyfrinach. Yn y Gymru gyfoes, mae 'na ddigon o gerddoriaeth i blesio'r uchel-ael onid oes? Y rhai hynny sy'n cyfrif bod unrhyw gerddoriaeth sy'n is ei safon na Mozart yn is-raddol, a bod angen ei anwybyddu. Ac mae selogion cerddoriaeth gwerinol a Cherdd Dant yn cael eu gwala a'u gweddill. Ond beth am y rhai hynny ohonom sydd â chwaeth eang? Un o'm gofidiau i yw mai ychydig iawn, iawn o'n cantorion cyfoes sy'n anelu at gerddoriaeth 'canol y ffordd', hynny yw at chwaeth y rhan fwyaf o'r boblogaeth. A dyma gyfrinach Trebor ddyliwn i.

Mi alla i ddeud â'm llaw ar fy nghalon na dderbynies i erioed, ymhlith y cannoedd o lythyre ddaeth imi dros y blynyddoedd, yr un llythyr oedd yn beirniadu fy newis o ganeuon, nac yn mynegi'r gobeth y byddwn i'n canu caneuon gwahanol i'r rhai sy gen i ar fy recordie. Mi allwn ychwanegu hefyd fod cael pum disg aur yn arwydd go bendant 'mod i'n canu'r caneuon mae pobol eisiau eu clywed, ac mi rydw i'n bendant yn canu'r caneuon y galla i eu cyflwyno ore a'r rhai sy'n gweddu i fy llais.

Roedd Cwmni Sain ei hun yn ymwybodol mai caneuon teimladwy oedd fy nghaneuon i, ond dydyn nhw ddim yn ymddiheuro am hynny, dim ond yn nodi'r ffaith. Dyma ran o'u datganiad i'r wasg pan gyhoeddwyd fy ail record hir, *Cân y Bugail*, yn 1978:

'Yn yr oes drydanol hon, diddorol, a deud y lleiaf, yw'r ffaith fod y tenor yma a'i ganeuon hiraethus teimladwy a melodaidd yn siŵr o gyrraedd brig y siartiau Cymraeg ar unwaith.'

Ac mi gyrhaeddodd. Rydw i wedi rhoi'r disgie aur yma i fy mhlant: *Un Dydd ar y Tro* i Catherine, *Ychydig Hedd* i Rose, *Gwelaf dy Wên* i Gwyn a *Cân y Bugail* i Erfyl. Yna, i nodi gwerthu cyfanswm o gan mil o recordie mi gafwyd ail ddisg aur *Cân y Bugail* gan Sain i Ann a fi. Fe'i cyflwynwyd i ni yn ystod y rhaglen *Penblwydd Hapus* ac arni mae'r geirie hyn:

> Cyflwynwyd y ddisg aur hon i Trebor Edwards ar achlysur recordio'r rhaglen *Pen-blwydd Hapus* am iddo fod y canwr Cymraeg cyntaf i werthu dros 100,000 o recordiau hir. Awst 5 1994

Rhwng 1976 a 2008 mae pymtheg o recordie neu gryno ddisgie wedi'u cyhoeddi, yn ychwanegol, wrth gwrs, at y ddwy EP gyhoeddwyd ar label Tŷ ar y Graig, ond a oedd mewn gwirionedd yn gyhoeddiade gan Sain. Y gynta o'r pymtheg oedd *Dyma fy Nghân* yn 1976 a'r ddiweddara ydi *Sicrwydd Bendigaid* yn 2008.

Mi werthodd y record Saesneg *Presenting Trebor Edwards* yn arbennig o dda hefyd, ond falle nad oedd o'n beth doeth cyflwyno disg aur am honno am fod 'ne beth gwrthwynebiad ar y pryd i'r syniad 'mod i'n recordio yn Saesneg.

Edwin Derbyshire ddaeth i dynnu fy llun ar gyfer clawr fy record *Dyma fy Nghân*. Mi fydde'n cymryd hydoedd am ei fod o'n trio cael llunie gwahanol ohona i, mewn gwahanol lefydd ac yn gwisgo'n wahanol, mewn siwt, neu grys a thrywsus heb siaced, efo tei a heb dei ar gyfer y gwahanol recordie. Doedd dim diwedd arno fo ac yn y man mi fu'n rhaid imi ddeud fy mod i'n gorfod mynd i newid gan ei bod yn amser godro. A dene wneud hynny a newid i hen grys, hen drywsus a siwmper a tharo cap stabal ar fy mhen.

'Mae gen i un llun ar ôl yn y camera,' medde Edwin. 'Gad imi dynnu un ohonot ti yn dy ddillad gwaith er mwyn gorffen y ffilm.'

Ddyddie'n ddiweddarach mi ffoniodd rhywun o Sain yn gofyn gaen nhw ddefnyddio'r llun efo'r cap stabal a'r dillad gwaith, a hwnnw ydi'r un sy ar glawr y record!

Mae'r rhan fwya o'r recordio wedi'i wneud yn Stiwdio Sain yn Gwern Afalau, ac mae honno wedi newid yn llwyr dros y blynyddoedd, o stiwdio eitha *basic* i stiwdio sy'n cynnwys yr holl adnodde a'r offer diweddara. Weithiau mi fydd ambell i gân yn cael ei recordio mewn lleoliade gwahanol – ambell un mewn eglwys ac ambell un yn y Tabernacl, y Ganolfan Gelfyddydol ym Machynlleth, er mwyn manteisio ar yr acwsteg arbennig mewn gwahanol adeilade falle. Ar un record, yn y gân 'Mi Glywaf y Llais' rydw i'n canu dau lais gwahanol, ac ar ambell un, erbyn hyn, mae'r backing wedi'i ychwanegu ar ôl i mi orffen recordio.

Un o'r rhai sy wedi cefnogi fwya arna i dros flynyddoedd o recordio ydi Annette Bryn Parri. Mae wedi cyfeilio i mi sawl tro, wedi dewis caneuon ar gyfer y recordie, wedi trefnu alawon a chyfeiliant, ac yn ffrind da ar wahân i fod yn gwbwl broffesiynol yn ei gwaith. Hi oedd yn cyfeilio i mi pan oeddwn i'n cyflwyno'r gryno ddisg newydd *Sicrwydd Bendigaid* yn y Sioe yn Llanelwedd eleni, a hi hefyd wnaeth gyfeilio pan ges i gyfle i ganu rhai o'r emynau sy ar y ddisg ar un o'r llwyfanne awyr agored ar faes yr Eisteddfod Genedlaethol yng Nghaerdydd ym mis Awst.

Roeddwn i'n andros o falch o'r fraint arbennig ges i wrth gael fy ngwadd i gymryd rhan yn un o raglenni Cwmni Gwdihŵ *Penblwydd Hapus* pan gafodd Annette Bryn Parri ei hanrhydeddu. Yn Neuadd Prichard Jones, Bangor, yr oedd y recordiad, a hynny yng Ngorffennaf 1996, ac wrth gwrs mi gefais fy siarsio i beidio deud gair wrth neb gan fod yr holl beth yn gyfrinach fawr rhag i unrhyw si am y digwyddiad ddod i glustie Annette ei hun.

Mi ges i wahoddiad i gymryd rhan yn rhaglen pen-blwydd Tom Gwanas flwyddyn yn ddiweddarach hefyd, ac erbyn hyn roedd y siarsio i gadw'r gyfrinach hyd yn oed yn fwy taer na'r tro cynt. Wn i ddim a oedd hynny oherwydd bod ambell un yn methu cadw ei geg ar gau, ond dyma oedd yn llythyr Siân Wheway ym Mai 1997:

> Oherwydd natur gyfrinachol y rhaglen, mae'n <u>hanfodol bwysig</u> nad ydy Tom ei hun yn cael gwybod dim oll am y trefniadau, pe bai'n clywed si, gallai ddifetha'r holl baratoadau. Rwy'n siŵr y byddwch yn deall pwysigrwydd hyn, ac y byddwch yn cytuno i gadw'r gyfrinach rhagddo, a <u>pheidio â thrafod y peth â neb</u> hyd yn oed os ydych yn amau eu bod yn gwybod.

Mi fyddwch chi sy'n cofio'r cyfresi *Penblwydd Hapus* hefyd yn cofio'r hyn fydde'n digwydd ar ddechre'r rhaglen. Bydde'r cyflwynydd, Arfon Haines Davies, bob amser yn torri ar draws rihyrsal neu berfformiad neu ymddangosiad gan yr un a gâi'r sylw yn y rhaglen ac yn rhoi tipyn o sioc iddo wrth ddymuno pen-blwydd hapus. Mi wn i fod llawer un yn ame nad oedd hyn yn digwydd o ddifri, ac yn credu bod y peth wedi'i drefnu i greu'r argraff honno, a bod gwrthrych y rhaglen yn gwybod am y peth o'r cychwyn cynta. Wel, mi alla i'n bersonol ddatgan bod y cyfan yn hollol ddilys, gan 'mod i wedi cael profiad personol o'r holl broses rai blynyddoedd ynghynt.

Adeg Eisteddfod Genedlaethol Castell Nedd oedd hi, 1994 oedd y flwyddyn a finne'n bum deg pump ac yn cael fy mhen-blwydd ar y pumed o Awst, ac felly bob amser, wrth gwrs, yn ystod yr Eisteddfod Genedlaethol. Mi fydda i'n trio mynd i'r Orsedd bob blwyddyn, i un neu ddwy o'r seremonïau o leia, ac mi es fel arfer i seremoni'r cadeirio ddiwedd yr wythnos.

Roeddwn i wedi trefnu cyfarfod ag Ann y tu allan ar ôl y seremoni, ac wrth orymdeithio yn ôl o'r pafiliwn ar hyd y maes a rownd i'r cefn i'r stafelloedd gwisgo, mi sylwes arni hi'n sefyll yng nghanol y dyrfa oedd wedi ymgasglu wrth ochr y llwybr, a rhyw sylwi ei bod wedi gwisgo braidd yn grand o feddwl mai ar faes y Steddfod roedden ni, ac yn debyg o fynd yn ôl yn syth i'r garafán. Ond wnes i ddim rhoi mwy o ystyrieth i'r peth, er ei bod hi hefyd, yn rhyfedd iawn, wedi awgrymu y dylswn i wisgo tei y pnawn hwnnw a finne'n methu dallt pam ac yn deud mor boeth oedd hi yn y wisg ar y llwyfan. Pan wrthodes i, mi awgrymodd 'mod i'n mynd â fo yn fy mhoced. Ond wnes i amau dim yr adeg honno!

Y ffaith oedd, wrth gwrs, fod pawb yn gwybod am y peth ond fi, yn gwybod y bydden nhw yn dod i 'nghyfarfod. Ac wrth gerdded efo Margaret Edwards yn yr orymdaith yn ôl i gefn y pafiliwn dyma Arfon Haines Davies yn gweiddi 'Pen-blwydd hapus' arna i, a Margaret yn deud, 'Ew, hen foi clên,' er ei bod hi'n gwybod yn iawn be oedd yn digwydd. Yr eiliad nesa dene finne'n sylweddoli be oedd o'n ei neud wrth sylwi ar y camera'n ei ddilyn!

Roedd hyn i gyd, mi alla i ddatgan yn onest, yn andros o sioc, a wyddwn i ddim yn iawn be i'w ddeud na'i neud. Ond yn fuan iawn roeddwn i'n cael fy hebrwng o'r maes mewn car, ac ar y ffordd dwi'n cofio gweld un o fysys GHA – y cwmni bysys lleol o'r Betws – yn y maes parcio, a meddwl pam tybed ei fod o yno.

Dene gyrredd y gwesty yn rhywle yn yr ucheldir rhwng Castell-nedd a Hirwaun, ac yno yn ein disgwyl roedd y criw y byddwn ni'n carafanio efo nhw ym mhob Steddfod, gan gynnwys Gwil Llwyn a Maldwyn y Nant. Roedden nhw, ynghynt yn y diwrnod, wedi cyhoeddi eu bod yn mynd i'r maes ac y bydden nhw yn y pafiliwn ar gyfer seremoni'r cadeirio. O feddwl yn ôl, roedd Ann wedi bod braidd ar bige'r drain isio cychwyn am y maes yn ystod y diwrnod hwnnw ac yn fy ngweld i'n hir yn gneud fy hun yn barod. Mi ges i wybod pam. Roedd bws mini yn dod i nôl y criw a'u cario i'r gwesty ac roedd arnyn nhw ofn i mi fod yn dal o gwmpas a gweld be oedd yn digwydd. Mi fydde'r gath o'r cwd tase hynny wedi digwydd.

Yno hefyd roedd Margaret Edwards a Chôr Bro Gwerful, a dene pryd y gwnes i ddallt pam fod bws GHA yn y maes parcio. Yna, yn y gwesty y min nos hwnnw mi recordiwyd y rhaglen efo'r teulu'n bresennol. Ar wahân i'r ddisg aur gan Sain, roedd Gwil Llwyn a Maldwyn ymhlith dau o'r rhai gyflwynodd anrhegion i mi, a Chôr Bro Gwerful yn canu. Hefyd yn cymryd rhan roedd Ifan Lloyd – dyn y cobiau Cymreig a chanwr ardderchog,

Merfyn Davies o'r BBC a Lleisiau'r Alwen, Margaret, Enid a Helen. Galla, mi alla i dystio bod y cyfan oedd yn digwydd yn rhaglenni Penblwydd Hapus yn hollol ddilys heb ddim ffugio o gwbwl.

Pan ddaw'r Eisteddfod i'r Bala yn 2009 mi fydda i'n dathlu pen-blwydd go arbennig ac mae'n siŵr y bydd 'ne ryw drefniant ar fy nghyfer gan y criw sy'n carafanio efo ni bob blwyddyn!

Llwyddiant fy recordie yn fwy na dim a'm gwnaeth i'n destun un o raglenni'r gyfres *Penblwydd Hapus*, a llwyddiant arbennig 'Un Dydd ar y Tro' arweiniodd bron at gyhoeddi cyfrol o'm prif ganeuon. Yn 1981 mi ddaeth llythyr gan Dafydd Meirion – erbyn hyn, yn anffodus, y diweddar Dafydd Meirion – o Gyhoeddiadau Mei yn nodi hyn: 'Tybed a fyddai gennych ddiddordeb mewn cyhoeddi llyfr o'ch prif ganeuon – y geiriau, hen nodiant ac efallai gordiau gitâr? Gallwn hefyd gynnwys rhai lluniau. Yr unig beth fyddai angen i chwi ei wneud fyddai rhoi rhyw bwt o gyflwyniad.'

Mi wnes i gytuno ac mi benderfynwyd mai ''Rhen Shep', 'Beibil Mam', 'Un Dydd ar y Tro', 'Mae'r Llais yn Galw', 'Hen Gapel Bach', 'Bugail

Mwyn', 'Duw Ŵyr', 'Ef a Wylodd', 'Dweud am y Blodau' a 'Capel y Wlad' fydde'r caneuon yn y gyfrol. Roedd gobaith cyhoeddi erbyn Nadolig 1981, ac roedd sôn hefyd am ychwanegu 'Bro Edeyrnion' at y rhestr.

Ddechre Rhagfyr mi ddaeth llythyr o'r wasg yn ymddiheuro na fydde'r llyfr allan erbyn y Nadolig am fod 'ne drafferth efo hawlfraint geirie un o'r caneuon, a'r un oedd yn dal yr hawlfraint ar y geirie Saesneg yn mynnu cael yr hawlfraint ar y geirie Cymraeg hefyd.

Mi fuodd 'ne fisoedd o dawelwch ar ôl hynny a finne'n meddwl y bydde popeth yn iawn erbyn Nadolig 1982. Ond ganol Rhagfyr y flwyddyn honno a dim wedi digwydd, mi dderbynies y llythyr terfynol gan Cyhoeddiadau Mei:

> Mae'n ddrwg gennyf eich hysbysu na fydd yn bosib i ni gyhoeddi llyfr o'ch Caneuon. Cafwyd trafferth cael caniatâd rhai o'r cwmnïau i gyhoeddi'r caneuon, a gan fod gennych gasgliad newydd o ganeuon allan (y record *Ychydig Hedd*), nid oes fawr o bwrpas cario 'mlaen i gyhoeddi'r rhestr wreiddiol. Mae'n rhaid i ni, felly, roi'r gorau i'r syniad.

Mi gafwyd rhyw gymaint o gyhoeddi ar fy nghaneuon, fodd bynnag, gan i Eilir Davies, o Siop y Pentan, Caerfyrddin, gyhoeddi tair neu beder o ganeuon mewn pamffled, gan gynnwys dwy o'm caneuon i: 'Y Bugail Mwyn' (Ar hen fynyddoedd Cymru/Trig llawer bugail mwyn) a 'Beibil Mam' (Y mae darlun prydferth tlws/ Heddiw 'nghrog ar fur fy nghof).

Mae seremonïe a dathliade o bob math yn bwysig iawn ym myd canu ac adloniant. Mi fu 'ne seremoni bob tro wrth imi dderbyn y copi cynta o bron pob record newydd, fel y copi cynta o *Ychydig Hedd* ar 3 Rhagfyr 1982, pan gyflwynwyd y copi imi gan Hefin Elis, y cynhyrchydd, a'r darogan bryd hynny oedd y bydde hon yn gwerthu mwy na *Un Dydd ar y Tro*, oedd erbyn hynny wedi cyrredd 24,000 o gopïe!

Wnaeth hi mo hynny, ond mi aeth ymhell dros y deng mil, oedd yn golygu seremoni arall, yng Nhafarn Bryn Trillyn ar foelydd Hiraethog, ar y ffordd rhwng Pentrefoelas a Dinbych, y dafarn ucha yng Nghymru. Roedd dwy seremoni mewn un yn y dafarn honno yng Ngorffennaf 1983, gan mai yno hefyd y cyflwynwyd i mi'r copi cynta o'r record Saesneg, *Presenting Trebor Edwards*. Fel hyn mae Dafydd Iwan yn disgrifio cyflwyno'r ddisg aur:

Gwahoddwyd i gyflwyno'r ddisg iddo chwaer ieuenga'r ferch leol a wnaeth enw iddi ei hun fel Miss UK, Siân Adey Jones; a'r farn gyffredinol oedd fod y chwaer yn brydferthach a mwy trawiadol na'i chwaer enwog.

Ta waeth, ni fodlonodd y chwaer ar gyflwyno'r ddisg yn unig, ond eisteddodd ar lin y canwr a'i gusanu fel 'tae'n hen gariad colledig. Manteisiodd y canwr swil ar ei gyfle'n llawn, – a hynny i gymeradwyaeth frwd!

Mi fydde 'ne ddathlu ym myd y radio a'r teledu hefyd, yn enwedig ar ôl recordio'r rhaglen ola mewn cyfres, a dwi'n cofio un dathliad yn dda iawn, ond am y rhesyme anghywir. Wedi bod yn recordio a dathlu yng Nghaerdydd roeddwn i, a fi ac Ann yn aros mewn gwesty yn Heol y Gadeirlan. Cyn brecwast y bore wedyn, dyna fynd â rhai pethe i'r car oedd wedi'i barcio ar y ffordd y tu allan. Ond doedd y car ddim yno! Y peth cynta feddylies i, wrth gwrs, oedd 'mod i wedi'i barcio yn rhywle arall ac wedi anghofio, ond er chwilio o gwmpas ar hyd y stryd ac mewn ambell stryd groes gerllaw, doedd dim sôn amdano.

Dene ffonio'r heddlu i ddeud ei fod ar goll, ond y broblem fwya y bore hwnnw oedd sut roedden ni am fynd adre. Yn ffodus, roedd Dora o'r Wyddgrug (Dora Tŷ Capel Tegid) yn gweithio i HTV ac yn mynd adre'r diwrnod hwnnw. Felly mi gawson ni lifft ganddi hi a threfnu i rywun o'r teulu i ddod i'n cyfarfod.

Cyn inni gyrredd adre roedd yr heddlu wedi ffonio Erfyl i ddeud eu bod wedi dod o hyd i'r car. Roedd Heddlu Bryste wedi'i ddarganfod mewn stryd gefn yn y ddinas. Roedd Heddlu Caerdydd o'r farn mai dau neu dri o lancie oedd wedi'i ddwyn, fod yna gêm bryd hynny lle roedd llancie yn herio ei gilydd i ddwyn ceir, gan fod 'ne batrwm i'r dwyn. Mi ddwetson nhw hefyd nad oedden nhw, er eu bod wedi dod o hyd i'r car, yn gyfrifol amdano ac mai gore po gynta i mi fynd i'w nôl.

Mi fu'n rhaid imi heirio car i'w gyrchu, ac fe'i cafwyd o'n union fel roedd o wedi'i adel, fy nillad perfformio i ar y llawr a'r lladron wedi mynd trwy bopeth allen nhw ond hyd y gallwn ddeud, heb ddwyn dim. Ar wahân i un peth. Roedd fy llyfr emynau i yn y car ac roedd un dudalen wedi'i rhwygo allan. Od!

Ar y ffordd i lawr i Gaerdydd i recordio'r rhaglen roeddwn i wedi galw yn Ffair Dolgelle, ac yn y bŵt roedd fy ofarôls ac ym mhoced hwnnw roedd fy llyfr sieciau. Roedd y cyfan yn dal yno, yn union fel y gadewes i nhw, sy'n gneud imi feddwl bod yr heddlu'n iawn ac mai rhyw gêm oedd y dwyn yn hytrach nag ymgais i chwilio am arian neu bethe i'w gwerthu.

Ond i ddod yn ôl at y recordie, un peth ydi gneud record, peth arall ydi ei gwerthu hi, ac rydw i wedi chware fy rhan yn hynny hefyd bob tro bydd record newydd yn ymddangos. Fel hyn mae Dafydd Iwan yn cofnodi'r peth:

Ond o dan yr wyneb hawddgar, mae rhywun yn synhwyro fod yna ddyn busnes go galed. Os gwneud record, yna rhaid ei gwerthu, ac os nad oedd y cwmni'n gwerthu digon, roedd Trebor bob amser yn llwyddo i ganfod ffyrdd eraill o ddosbarthu'r recordiau a'u gwerthu ar hyd ac ar led. Galwai heibio i Landwrog ar ei rawd, a mynd â llwyth o recordiau i'w ganlyn. Ac yn ôl pob sôn, byddai'r rhain yn cael eu cludo i dai a ffermydd dros rannau helaeth o Glwyd gyda'r dyn llaeth a'r bwtshar ac unrhywun arall oedd yn fodlon cynnig helpu. Wrth gwrs, byddai'n sêl cist car go iawn lle bynnag y byddai Trebor yn cynnal cyngerdd. Yna byddai'n amser i ddwyn rhan o'r ysbail yn ôl i Sain, a dyma'r unig droeon y synhwyrwn fod Trebor yn gwneud rhywbeth yn groes i'r graen. Wedi'r cyfan, pa ddyn busnes o ffarmwr sy'n hoffi'r syniad o drosglwyddo llwyth o bres i rywun arall? Ond croes i'r graen neu beidio, un am dalu'i ddyledion yw Trebor, er iddo gynnig talu Huw Jones unwaith mewn defed yn hytrach nag arian sychion! O'r hyn a ddwedodd Huw wrthyf ymhen sbel wedyn, dwi ddim yn amau na chafodd o'i demtio i gychwyn ffermio am eiliad neu ddwy!'

Yr unig beth alla i ei ddeud ydi ei fod o'n beth greddfol i ffarmwr ddal ei afael mewn arian gan ei fod wedi arfer bod heb ddim, a'i bod hi felly'n beth naturiol i mi gynnig defed i Huw Jones! Mae gan ffarmwr ddefed, oes, gwartheg, oes, ieir ac wyau yn amal oes, pres – nag oes!

Yn ystod wythdege'r ganrif ddiwethaf pan gyhoeddwyd saith o'm pymtheg record hir, roedd gan Sain fonopoli ar recordio yn Gymraeg, ac mi fydde hi wedi bod yn llwm iawn heb y cwmni. Mae edrych ar siart *Y Cymro* am y cyfnod hwnnw yn adlewyrchu hynny. Yn niwedd 1984 a dechrau 1985 roedd fy record *Gwelaf dy Wên* ar y brig ac yn cadw cwmni iddi yn y tabl roedd: *Teilwng yw'r Oen*, y fersiwn modern o'r Meseia; *Ganwyd Iesu*, sef caneuon a charolau'r Nadolig; *Cofio o Hyd*, Rosalind a Myrddin; *Ave Maria*, Aled Jones; a *Madras*, Geraint Griffiths. Mi aeth y rhain hefyd yn eu tro i frig y siartiau.

Mae'r byd recordio wedi newid yn fawr dros y blynyddoedd; mi aeth y record yn gasét a'r casét yn gryno ddisg. Be fydd y dyfodol, tybed? Pwy a ŵyr! Erbyn hyn mae 'ne farchnad unwaith eto i recordie feinyl, ond mae 'ne hefyd grebachu yn y farchnad am fod cymaint o lawrlwytho caneuon oddi ar y we. Un peth sy'n sicr, tra bydd gen i fy iechyd, tra bydd y llais yn dal, a thra bydd y galwade yn dal i ddod, mi fydda inne'n dal i geisio 'canu cân'.

PENNOD 11

'Ei gwreiddiau 'nghlwm ym mhridd y fro...'

MI DWI WEDI CANU'R geirie yma ddege o weithie erbyn hyn gan eu bod yn dod o un o'r caneuon y bydda i'n eu canu i gyflwyno fy hun mewn cyngherdde, sef 'Bro Edeyrnion'. Disgrifio'r gymdeithas sy'n bodoli 'yn hedd y Berwyn' mae'r geirie, ond mi allen nhw'r un mor hawdd fod yn arwyddair i'r sioe fawr neu'r Royal Welsh, gan mai dene, yn bendant, ydi cyfrinach ei llwyddiant hi.

Mae hi yn sioe fawr, y fwya yn Ewrop, yn sioe boblogaidd, yn sioe mae pwysigion byd amaeth o lawer gwlad a phwysigion y byd gwleidyddol yn dod iddi. Mi alle hi'n hawdd fod wedi troi cefn ar ei chefndir ac anghofio'i gwreiddie, fel yn wir y gwnaeth rhai sioeau mewn rhanne o Loegr, gan gynnwys y 'Royal', a rhoi mwy o sylw i ddiwydianne a chwmnïe mawr, i noddwyr a phobol y trefi, gan anghofio i radde ei seilie amaethyddol. Ond wnaeth Sioe Llanelwedd mo hynny a does dim peryg iddi neud chwaith. Sut dwi'n gallu bod mor siŵr? Am i mi gael fy ethol yn llywydd arni eleni, yn ffarmwr cyffredin o frynie Clwyd, a hynny'n symbol o'r ffaith mai yng nghadernid cefn gwlad mae cadernid y sioe.

Mi geisies i bwysleisio pwysigrwydd cefn gwlad yn fy neges yng nghylchgrawn swyddogol y sioe, *Cylchgrawn Cymdeithas Amaethyddol Frenhinol Cymru*. Dyma ran o'r hyn sgrifennes i:

Yr hyn sydd mor hanfodol bwysig i ni'r Cymry yw nid yn unig sicrhau dyfodol i'n diwydiant amaethyddol, ond hefyd ddyfodol ein cymunedau yng nghefn gwlad. Ein pobl ifanc yw'r allwedd i gynnal ysgolion cefn gwlad, capeli, clybiau ffermwyr ieuanc a llu o fudiadau eraill sy'n creu'r bwrlwm a'r bywyd sy mor bwysig i ni ei warchod mewn byd lle mae cymaint o ddiwylliant gwamal a dichwaeth yn bodoli. Betws Gwerful Goch yw bro fy magwraeth i ac mae ei dylanwad yn drwm arnaf. Yno mae'r diwylliant a'r bwrlwm yn parhau, ac ar hyd a lled Cymru mae yna gymunedau tebyg i'n Betws ni sy'n cynnal cefn gwlad, ac sy'n cael y cyfle hyfryd i ddod at ei gilydd bob mis Gorffennaf i gystadlu a chymdeithasu yn ein sioe fawr deuluol ni.

Mi oedd cael fy newis yn llywydd yn dipyn o sioc, rhaid cyfadde. Y sioc gynta oedd cael galwad ffôn i ofyn faswn i'n barod i ymgymryd â'r gwaith taswn i'n cael fy ethol. Mae hyn, wrth gwrs, yn ffordd arferol o weithredu gan mai gwastraff amser llwyr fase i'r pwyllgor drafod enwe rhai fydde'n debyg o wrthod ar ôl cael eu dewis. Mae gen i nifer o ffrindie sy ddim yn ôl o dynnu coes, a phan ges i'r alwad ffôn honno roeddwn i'n meddwl yn siŵr bod rhywun wrthi, a wnes i ddim cymryd y peth yn hollol o ddifri . Ond pan ddealles i mai Gwyn Hughes, Fferm Brookhouse, oedd yn galw mi wnes i sylweddoli ei fod o ddifri. Roedd o'n ffrind mawr i Dad a Mam pan oedden nhw yn y Gegin Fach ac mi fuo fo'n llywydd y sioe ei hun yn ystod yr wythdege, ac felly'n gwybod hyd a lled y swydd. Mi grefodd arna i i gytuno i fy enw fynd ymlaen, 'er mwyn dy dad a dy fam', medde fo. Sut y gallwn i wrthod?

Yr ail sioc, felly, oedd cael galwad ffôn gan John Rees, Wrecsam, cadeirydd y pwyllgor, yn dilyn eu cyfarfod yn deud mai fi oedd yr un oedd wedi'i ethol.

Mi ddylwn i esbonio bod y llywydd bob amser yn dod o'r sir sy'n noddi'r sioe, ac eleni tro yr hen Glwyd oedd hi, Clwyd sy bellach yn beder sir neu'n beder rhan – Conwy, Fflint, Wrecsam a Dinbych. Mae gan bob sir ei phwyllgor sioe parhaol, a'r pwyllgor hwnnw, sydd â'i aelode yn dod o'r peder rhan, ddewisodd fi i fod yn llywydd eleni. Mae'r pwyllgor hwn, dan gadeiryddiaeth John Rees, Wrecsam, a chyda Sheila Warner, cyn-drefnydd y Ffermwyr Ifanc yn ysgrifennydd, yn cyfarfod yn rheolaidd ac mae aelode ohono ar bwyllgore canolog y sioe hefyd. Bydd David Walters, prif weithredwr y sioe, yn mynychu'r pwyllgor ac wrth gwrs roedd yn rhaid i'r pwyllgor canolog gadarnhau fy enwebiad cyn y byddwn yn llywydd.

Wnes i rioed ddychmygu y byddwn i ryw ddiwrnod yn dod yn llywydd, hyd yn oed er mai'r sir hon oedd yn noddi eleni, gan fod ene lawer o rai teilwng iawn yn gwasanaethu ar y pwyllgor ers blynyddoedd. Ond falle i'r ffaith 'mod i wedi dangos a chystadlu yn y ddwy sioe, y sioe fawr a'r sioe aeaf, yn rheolaidd ers blynyddoedd gael dylanwad ar y pwyllgor, a hefyd y ffaith imi ennill y bencampwriaeth yn y ffair aeaf yn y flwyddyn 2000, uchafbwynt blynyddoedd o gystadlu. Ennill y dosbarth i ddechre efo bustach Limousin, ac yna ennill y bencampwrieth yn erbyn enillwyr y dosbarthiade eraill.

Doeddwn i erioed wedi bod ar y pwyllgor ond mi ges i 'ngwahodd i'r cyfarfod yn dilyn fy mhenodi, ac yn hwnnw mi benderfynwyd rhannu'r hen Glwyd yn dri phwyllgor codi arian – Wrecsam/Fflint, Conwy a Dinbych. Yn 2006 y digwyddodd hynny a byth oddi ar hynny bu'n gyfnod reit wyllt gan fod angen codi rhyw £200,000 i noddi'r sioe. Mi sefydlwyd sawl pwyllgor nawdd ac roedd un i ardal Dyffryn Clwyd ac Uwchaled dan gadeiryddieth Glyn Owens, yr arwerthwr a'r arweinydd nosweithiau llawen o Ruthun, gydag Ann Richards o Lanfwrog yn ysgrifennydd.

Mi benderfynwyd o'r cychwyn un na fydden ni'n gosod targed i Glwyd, ond ar yr un pryd yn rhyw obeithio cyrredd y £200,000. Mae'r pwyllgore wedi gweithio'n galed, a hynny hyd ddiwedd 2008. Mi gafwyd cefnogaeth o bob cwr, gyda phobol yn cynnal gweithgaredde lleol megis nosweithie coffi, gyrfaoedd chwist a bingo i godi arian. Mi gafwyd digwyddiade mawr hefyd, fel y penwythnos o weithgaredde amrywiol yn y Rug a gododd filoedd i'r gronfa. Mi gefais inne'n bersonol gyfraniade o bob cwr o'r wlad gan bobol oedd wedi fy nghlywed yn canu, neu wedi fy ngweld ar raglenni'n sôn am y sioe. Lai na phythefnos cyn iddi gael ei chynnal mi ddaeth gwraig ata i mewn angladd a rhoi decpunt imi. Mae'r ymateb, mewn cyfraniade mawr a bach, wedi bod yn eithriadol.

Mae o wedi bod yn gyfnod prysur tu hwnt, ac mi fydd hi felly tan y Nadolig gan fod y codi arian yn parhau tan ddiwedd blwyddyn y sioe. Cyfnod prysur, ond cyfnod braf iawn hefyd. Trefnu cyfarfod yma, mynd draw acw i dderbyn siec, canu mewn ambell gymanfa a chyngerdd a noson lawen, a thrwy'r cyfan cyfarfod pobol llawn sêl a brwdfrydedd dros y sioe, hen gyfeillion yn ogystal â gwneud cyfeillion newydd. Wna i byth anghofio'r cydweithio hapus fuo rhyngon ni a mudiade ac unigolion ym mhob rhan o Glwyd. Ac roedd achosion heblaw'r sioe yn elwa o'r holl ddigwyddiade hefyd. Y patrwm yn amal oedd bod criw lleol yn trefnu'r noson, yr elw'n mynd at y sioe ond elw'r raffl yn mynd at achos da lleol neu genedlaethol. Mi fanteisiodd Tŷ Croeso yn y Rhyl, Tŷ Gobaith, Tŷ'r Eos, Ambiwlans Awyr ac amryw fudiade ac achosion eraill yn fawr ar y trefniant.

Mae o'n destun syndod i mi gymaint o bobol sy'n ymroi i godi arian at achosion da a chymaint o lwyddiant maen nhw'n ei gael. Un y bues i'n rhannu llwyfan efo fo lawer tro ydi Ifan Davies – Ifan JCB fel mae pawb yn ei nabod. Mae o wedi codi symie anhygoel at ymchwil cancr – dros chwarter miliwn i gyd. Yn ddiweddar roedd o'n trosglwyddo £28,000 i Gronfa Cancr Dr Sharkawi yn Ysbyty Singleton, ac yr ydw i wedi bod yn falch o allu helpu yn y gwaith droeon drwy ganu mewn cyngherdde wedi eu trefnu gan Ifan. Y tro diwethaf imi neud hynny oedd fis Hydref 2008 yn Neuadd Cross Hands efo Ina Williams, Gwynedd Parry a Pharti Bro Teifi. Fe fu Dr Sharkawi am gyfnod yn helpu Ysbyty Glan Clwyd i ddatblygu'r uned gancr yno, rheswm arall dros fod yn falch o allu helpu Ifan.

Un a weithiodd yn galed eleni oedd llysgenhades y sioe, sef Gwen Davies o Ffarm Trelan, sir Fflint. Mae ganddi radd o goleg amaethyddol Harper Adams ac mae hi ar hyn o bryd yn Rheolwr Datblygu Busnes gyda'r NFU. Mi wnaeth hi lawer i hyrwyddo'r sioe a chodi arian, ac mae ganddi gysylltiad â'r Betws gan ei bod yn aelod o Gôr Bro Gwerful, a'i chariad hefyd yn aelod.

Digwyddiad pwysig yn ystod tymor fy llywyddiaeth oedd Cyfarfod Blynyddol Cymdeithas Amaethyddol Frenhinol Cymru, sy'n cael ei gynnal bob blwyddyn yn y sir sy'n noddi'r sioe. Y llywydd sy'n dewis y lleoliad, ac roedd o'n ddewis anodd. Roedd rhai eisiau i mi ei gynnal yma ym Mhen Brynie ond penderfynu peidio ddaru ni am fod Ann wedi bod yn wael ac am nad oedd yna sicrwydd y bydde'r tywydd yn ffafriol, ac y bydde tywydd drwg wedi creu pob math o anawstere.

Penderfynwyd ar Coed Coch, ger Betws-yn-Rhos, sef cartre'r Cyfarwyddwr – Harry Fetherstonhaugh. Roedd o'n lleoliad arbennig a hollol addas ar gyfer y digwyddiad, â noson debyg i Ŵyl y Faenol yn dilyn y cyfarfod blynyddol. Daw'r aelodau o bell ac agos i'r cyfarfod hwn, efo rhai'n aros mewn gwestai lleol ac eraill yn dod â'u carafanau. Alun Evans o Dywyn ydi Cadeirydd y Cyngor, un y gallwn ddibynnu arno ac fe fuodd ei wraig, Janet, hefyd yn help garw i Ann.

Fel mae'n digwydd roedd cartre Ann, sef Bryn Ffanigl Ucha, ar un adeg yn perthyn i stad Coed Coch ac mae hi'n cofio ymweld â'r lle ar sawl achlysur, yn cofio digwyddiade a gâi eu cynnal yno a'r capel oedd yn rhan o'r adeilade.

Agwedd arall bwysig ar y gwaith oedd gwerthu tocynne'r raffl fawr am bunt yr un, a hynny heb deimlo unrhyw gywilydd gan mai at y sioe roedd yr arian yn mynd a bod 'ne naw gwobr gyda chyfanswm o £2,500 i'w hennill. Ar ôl rhai wythnose o hyrwyddo a gwerthu roedd y llaw yn llithro i'r boced i estyn am y llyfr bron yn otomatig waeth pwy oedd yn y cwmni, boed Aelod Seneddol neu Arglwydd! Ond wnes i ddim cynnig gwerthu un i'r Dywysoges Anne pan ddaeth hi i agor y sioe!

Mi werthes i ac Ann dros beder mil o docynne ac roedd y gwerthiant cyfan dros un fil ar bymtheg. Llaeth y Llan wnaeth noddi'r tocynne, ac mi argraffwyd 15,000 ganddyn nhw. Ond doedd hynny ddim yn ddigon ac mi fuo'n rhaid argraffu 2,500 wedyn. Ar ddydd Iau'r sioe ac achlysur tynnu enwau'r enillwyr, doedd dim byd yn ddigon mawr i ddal yr holl docynne ond sach wlân enfawr!

Mi fu'n rhaid i mi hefyd fynychu sawl un o gyfarfodydd pwyllgor canolog y sioe yn Llanelwedd ei hun, a'r rheiny'n dod yn amlach wrth i ddyddiad y sioe agosáu. Ynddo roedd llawer o bobol bwysig y sioe, nifer ohonyn nhw'n ddim ond enwe i mi cyn hynny. Roedd yn rhaid hefyd gwneud ambell i araith, y rhan fwya ohonyn nhw'n ddwyieithog ac mi fyddwn i'n sgrifennu pob un ac yn eu darllen. Mi ddysges i'n fuan iawn mor bwysig ydi dilyn y sgwennu ar y copi, gan 'mod i, y troeon cynta, wrth dynnu fy llygaid oddi ar y papur ac edrych ar y gynulleidfa, yn colli fy lle yn y sgript. Y tric oedd cadw fy mys ar y lle iawn ar y copi.

Roeddwn i felly wedi bod yn byw a chysgu'r sioe ers misoedd cyn yr wythnos fawr ac yn gweddïo y bydde'r tywydd yn garedicach na'r llynedd. Welwyd dim byd tebyg i dywydd 2007 erioed, a gwyrth oedd i'r sioe gael ei chynnal o gwbwl. Bu bron i'r un glaw achosi dileu'r Eisteddfod Genedlaethol yn yr Wyddgrug a dim ond penderfyniad munud ola a thywydd sych ddiwedd Gorffennaf a'i hachubodd.

Yn naturiol bydd llawer o bobol yn methu deall pam na ellir gohirio neu ganslo bron dros nos os ydi'r tywydd yn ddrwg. Ond dydi hi ddim mor syml â hyn'ne. Mi gaiff andros o swm o arian ei wario cyn i'r sioe gael ei chynnal, ac mae'r un peth yn wir am yr eisteddfod. Mi fydde'r cyfan yn wastraff a'r ddau sefydliad mewn dyfroedd ariannol dyfnion iawn o orfod canslo.

Ond doedd dim angen pryderu, gan fod y tywydd eleni'n berffeth ac mi gafwyd sioe i'w chofio a phopeth yn mynd fel wats, cyn belled ag roeddwn i yn y cwestiwn, beth bynnag. Ac mae deud 'fel wats' yn addas iawn gan mai bod yn y lle iawn ar yr amser iawn ydi'r disgrifiad gore o fy wythnos i ac Ann.

Roeddwn i'n ymwybodol 'mod i, fel llywydd, mewn olynieth arbennig iawn ac yn dilyn Edward Perkins, y syrfewr o Benfro, llywydd 2007, Hywel Lloyd o Faldwyn, perchennog y melinau blawd, llywydd 2006, a David Lewis yr arwerthwr o Landysul a pherchen buches bedigrî Charolais, llywydd 2005. Un o'r llythyre cynta dderbynies i ac Ann ar ôl yr wythnos fawr oedd llythyr ganddo fo a'i wraig, Helena, o Benrhiw, Llandysul, yn ein llongyfarch ar lwyddiant y sioe.

Roedden ni'n cychwyn am Lanelwedd fore Sadwrn er mwyn cael cyfle i setlo yn y garafán fydde'n gartre i ni dros ddyddie'r sioe, carafán fawr statig ar y maes ei hun, yn agos i sied yr ieir, ac roedd yno un ceiliog fydde'n deffro am ugien munud wedi pedwar bob bore. Mi allswn i neu Ann yn hawdd fod wedi rhoi tro yn ei gorn!

Carafán at iws y llywydd ydi hon ac felly mi fydd hi'n wag am y rhan fwya o'r flwyddyn. Caiff ei defnyddio i'r sioe Fferm a Thyddyn a'r Ffair Aeaf hefyd, ond at fawr ddim arall, a does dim dillad gwlâu na llestri na dim byd felly ynddi, felly roedd yn rhaid pacio'r cyfan roedden ni eu hangen a mynd â nhw efo ni. Dydi pob llywydd ddim yn ei defnyddio am fod yn well gan ambell un aros mewn gwesty, ond mae hi'n hwylus iawn ac yn fwy o lawer na'r garafán ryden ni wedi arfer treulio wythnos y sioe ynddi.

Roedd rheswm arall dros fynd yn gynnar – yr angen i arwyddo nifer fawr o dystysgrife ar gyfer gwobre o bob math y byddwn yn eu cyflwyno i'r enillwyr ar faes y sioe: gwobre Syr Bryner Jones, Dr Emrys Evans, Dr Richard

Phillips, gwobr Myfyriwr Amaeth y Flwyddyn, gwobre tir glas, silwair, amgylchedd – nifer fawr ohonyn nhw yn cael eu cyflwyno ar y diwrnod cynta.

Mae'r sioe yn dechre bob blwyddyn efo gwasaneth crefyddol yn Eglwys y Santes Fair yn Llanfair-ym-Muallt, a hynny am chwech o'r gloch ar y nos Sul, ac eleni, fel erioed, roedd yr eglwys yn orlawn. Roedd Ann yn darllen yn y gwasaneth – darlleniad Cymraeg o Salm 46: 'Mae Duw yn noddfa ac yn nerth i ni... ' ac roeddwn i'n canu dwy gân: 'Mi glywaf y llais' a 'Holy City'. Y Parch. William Davies, ein gweinidog ni, oedd yn rhoi'r anerchiad ac roedden ni'n dau'n falch iawn iddo allu derbyn y gwahoddiad.

Mae William Davies yn bregethwr ardderchog, yn un o'r goreuon yng Nghymru, ac yr yden ni'n andros o lwcus i'w gael o'n weinidog arnon ni yma. Mae o bob amser yn fyr, ond yn deud llawer, bob amser yn berthnasol, a'i draed ar y ddaear. Ei destun yn Llanelwedd oedd Ail Epistol Paul at Timotheus, yr ail bennod a'r chweched adnod: 'Y ffermwr sy'n llafurio sydd â'r hawl gyntaf ar y cnwd'. Mi ddwedodd y dylen ni fel Cristnogion ddysgu oddi wrth y ffarmwr a hynny am fod ganddo dri pheth neu dair nodwedd:

yr amynedd i ddisgwyl,
yr egni i ddal ati,
y gobaith am weld y cynhaeaf.

Roedd canmol o bob man i'r gwasanaeth ac amal i alwad ffôn yn nodi iddo fod, ynghyd â'r gymanfa, yn ddechre arbennig i'r sioe.

Yn hwyrach yr un noson cynhaliwyd y gymanfa, a hynny yn y sied gneifio ar y maes, ac roedd honno hefyd dan ei sang gyda llawer yn sefyll y tu allan. Roedd y canu i'w glywed yn y dre, medden nhw. Cymanfa am dri chwarter awr oedd hon, gan fod yn rhaid gorffen cyn y cinio swyddogol am hanner awr wedi wyth. Roeddwn i wedi gwahodd dau gôr i gymryd rhan: Côr Bro Gwerful, dan arweiniad Margaret Edwards, a oedd yn arwain y gymanfa, a Chôr Ffermwyr Ifanc Uwchaled, dan arweiniad Meinir Lynch. Mi ganodd y corau ddwy gân: 'Gobaith yn y Tir' a 'Sychu Dagrau' ac un gân efo fi – 'One day at a Time'. Y Parch. William Davies oedd yn gyfrifol am y gwasaneth dechreuol ac aelode o wahanol bwyllgore Clwyd o'r sioe oedd yn ledio'r emynau.

Oedd, roedd y gweithgaredde wedi cael dechre da, ac roedd y tywydd yn argoeli'n addawol iawn drwy'r wythnos, ond doedd pethe ond megis dechre i Ann a fi – pedwar diwrnod di-stop rownd y cloc, o tua wyth y bore tan wyth y nos bob dydd. Feddylies i erioed y bydde cymaint o waith i'w wneud, roedd o bron fel ymgymryd â swydd arall.

Roedd gynnon ni ein dau ein 'meindars' i ofalu ein bod yn cyrredd pobman mewn pryd. Peter Sturoch, a fu ar un adeg yn ffarmwr llaeth yn ochre Caernarfon ond sy erbyn hyn wedi ymddeol, oedd fy 'meindar' i, a'i wraig, Mair, oedd yn edrych ar ôl Ann. Dau garedig iawn a fasen ni byth wedi gallu dod i ben heb eu help nhw. Am gyfnode hir bob dydd mi fydde Ann a fi mewn llefydd gwahanol ond yn cyfarfod i ginio a hefyd ar ddiwedd y pnawn ar gyfer gweithgaredde'r prif gylch. Mi fydde'r ddau 'meindar' yn ein cymell i symud o hyd er mwyn inni gyrredd mewn pryd, ac o feddwl ei fod o ar fin mynd i'r ysbyty i Gobowen i gael triniaeth ar ei ben-glin, roedd Peter Sturoch yn symudwr sydyn iawn.

Roedd car yr un at ein gwasaneth hefyd i

fynd o le i le ar y maes, ond yn amal, oherwydd y dyrfa, roedd cerdded yn haws – ac yn gynt, er mai'r drafferth bryd hynny oedd gorfod stopio i siarad efo pobol. Os oedd cerdded rownd dec y *Canberra* unwaith yn broblem i mi, dychmygwch faint mwy o broblem oedd cerdded y cae yn Llanelwedd!

Mae'r sioe yn sioe frenhinol ac yn amal bydd rhyw aelod o'r teulu brenhinol yn dod i'w hagor. Tro'r Dywysoges Anne oedd hi eleni ac mi dreulies i deirawr yn ei chwmni ar y bore cynta. Rhaid i mi gyfadde 'mod i'n poeni am hyn am wythnose ac yn nerfus iawn y bore hwnnw wrth aros yn ymyl y prif gylch i'w chroesawu. Pan ddaeth, a dau ddyn yn ei gwarchod, mi ysgydwodd law efo pawb yno, cyn i mi, ar ôl cael fy nghyflwyno iddi gan Alun Evans, ei harwain i fyny ar y trelar oedd yn llwyfan i'r agoriad. Rhan o'r seremoni oedd fod fy nhair wyres – Alwen, Lydia a Lea – yn cyflwyno tusw o flode i'r Dywysoges ac i'w nain, Ann. Yna, ar ôl yr agoriad swyddogol mi es efo'r Dywysoges i wahanol adranne o'r sioe.

Rhaid imi ddeud ei bod hi'n glên iawn, yn hawdd siarad efo hi ac yn amlwg yn deall y sefyllfa amaethyddol yn dda. Roedd rhaglen benodol wedi'i threfnu ar ei chyfer a phobol ym mhobman yn aros i'w chroesawu. Heibio'r merlod a'r ceffyle gwedd i ddechre ac yna i sied y Ffermwyr Ifanc, lle bu hi'n siarad efo amryw o'r ieuenctid gan eu hannog i gadw a gwarchod cefn gwlad. O'r fan honno i'r cylch lle roedd y barnu gwartheg ar waith. Roedd hi'n gwybod am yr holl fridie ac mi aeth at bob dangoswr yn ei dro i siarad efo nhw. Oddi yno wedyn i gylch y defed, lle cafodd weld y bridie Cymreig – gan gynnwys y Ddafad Gymreig a Defed Llanwenog, yna i'r sied gneifio lle roedd rownd derfynol y gystadleueth ryngwladol lapio gwlân yn cael ei chynnal, ac wedi hynny i'r sied ieir, lle y sonies i wrthi am y ceiliog oedd yn fy neffro. Roedd digon o le i gerdded o gwmpas y Neuadd Fwyd, sef y gyrchfan nesa ar y daith frenhinol – tipyn gwahanol i weddill yr wythnos gan i'r lle fod yn orlawn drwy gydol y sioe. Mae'r neuadd yma'n llawer rhy fach erbyn hyn a dene lle bydd arian nawdd Clwyd yn cael ei wario – ar adeilad bwyd newydd a helaethach. Yn wir, mi ellir dadle mai dyma neuadd bwysica'r sioe, gan mai cynhyrchu bwyd ydi gwaith pob ffarmwr.

Yn y neuadd yma mi fu'r Dywysoges yn blasu'r caws ac yn siarad efo rhai o'r cigyddion gan ofyn o ba anifel roedd y cig wedi dod, pa mor hir y bu'n hongian, ac yn trafod lliw'r gwahanol gigoedd. Roedd hi'n gofyn y cwestiyne iawn. Ar ôl hynny, a'r ymweliad yn tynnu tua'i derfyn, mi fu'n cyfarfod cynrychiolwyr o rai o'r mudiade a'r cymdeithase amaethyddol, gan gynnwys Cymdeithas y Tirfeddianwyr ac Undeb Ffermwyr Cymru. I gloi'r ymweliad teirawr, daeth i bafiliwn y llywydd, lle y cafodd ddwy iâr a cheiliog yn anrheg cyn ymadael yn yr helicopter. Mae'n rhaid eu bod wedi gneud argraff arni gan iddi eu crybwyll yn ei llythyr at brif weithredwr y sioe wrth ddiolch am y croeso gafodd hi ac am yr anrheg. Ar ôl iddi ymadel, dwi'n meddwl i bawb anadlu anadl ddofn o ryddhad fod popeth wedi mynd yn ddidramgwydd.

Roedd hi'n haws arna inne wedyn hefyd, ond doedd hi ddim yn llai prysur. Roedd pob diwrnod wedi'i lenwi i'r ymylon a llawer o'r galwade'n rhai byr – chwarter awr yr un – oedd yn golygu picio yma ac acw. Ond roedd y cinio ganol dydd yn achlysur o bwys, yn ginio swyddogol bob dydd, a'r bwyd wedi'i roi gan wahanol gwmnïe, a llawer wedi'u gwahodd na wyddwn i ddim pwy oedden nhw, er mai yn fy enw i ac Ann yr aeth y gwahoddiadau iddynt. Roedd gynnon ni hawl ar ddau fwrdd bob dydd, dau fwrdd ar gyfer cyfeillion, cymodogion a theulu.

Yn ffodus, doeddwn i ddim yn gorfod codi ar fy nhraed i siarad yn ystod y ciniawa er bod 'ne gryn dipyn o dalu diolchiade a chynnig llwncdestun. Roeddwn i felly'n gallu mwynhau fy mwyd!

Cinio'r bobol bwysig oedd ar y dydd Llun – swyddogion y sioe a'r Aelode Seneddol ac Aelode'r Cynulliad, gan gynnwys Ieuan Wyn Jones, y Dirprwy Brif Weinidog, a Dafydd Elis-Thomas, y Llywydd. Mi ganmolodd anerchiad neu bregeth y Parch. William Davies, gan ddeud iddi ei atgoffa o bregethe ei dad (Y Parch. W E Thomas, Llanrwst) – tri phen, traddodi diddorol, a rhywbeth gwerth ei gofio. Cinio Clwyd oedd cinio dydd Mawrth, gyda chynrychiolwyr o'r peder sir – Conwy, Dinbych, Fflint a Wrecsam, gan gynnwys rhai fu'n gweithio'n galed i godi'r arian. Yna, ar y dydd Mercher roedd cinio swyddogol Cyngor y Sioe, a'r diwrnod hwnnw roedd pawb yn talu am ei ginio ei hun. Yna dydd Iau, cinio'r noddwyr a chyfle i gydnabod eu haelioni tuag at y sioe. Cyfnod y pedwar cinio oedd y cyfnod hwyaf i mi ac Ann fod yn yr un lle – rhyw awr a hanner bob diwrnod cyn ailgychwyn ar y daith o gwmpas y neuadde a'r stondine.

Roedd 'ne batrwm pendant i ddiwedd pob dydd hefyd, efo'r orie ola'n cael eu treulio ger y prif gylch, mewn bocs arbennig ar gyfer y llywydd a'i wraig yn y stand! Mi fu rhywrai wrthi'n gelfydd iawn yn addurno'r bocs a'r blode wedi'u gosod ar ffurf llinell yr erwydd i ddynodi node llinell gynta 'Hen Wlad fy Nhadau'.

Mae cynnal traddodiad yn rhywbeth pwysig iawn yn y sioe, yn enwedig mewn rhai adranne. Mae disgwyl i wraig y llywydd wisgo het neu o leia rywbeth ar ei phen, a'r hyn oedd gan Ann oedd *fascinator*. Roedd yn rhaid i minne gael het fowler ar gyfer un achlysur, ac wrth gwrs doedd gen i 'mo'r fath beth, ond mi ges i fenthyg un gan fy 'meindar' Peter Sturoch.

Yr achlysur lle roedd angen het fowler oedd beirniadu adran y ceffyle. Roedd pob stiward, yn ddynion a merched, yn gwisgo het a phan fydde'r ceffyle yn gorymdeithio ar ddiwedd y beirniadu roeddwn i'n gorfod eu cydnabod drwy godi fy het iddyn nhw. Yn yr un modd, pan fydde'r Cossacks wedi gorffen eu hact hwy yn y prif gylch, byddwn inne'n codi fy het i gydnabod fy niolch iddyn nhw. Ond roedd Ann yn cael *get-away* efo codi ei llaw!

O edrych yn ôl, mi aeth pethe'n hynod o ddidrafferth. Dwi ddim yn meddwl mai fi fydde wedi gorfod datrys probleme tase 'ne rai wedi codi, ond mi faswn i wedi cael gwybod amdanyn nhw. Mi fuo 'ne drafferthion efo'r bysys wennol oedd yn cario pobol i'r maes o'r meysydd parcio ar y dydd Llun, â rhai wedi gorfod aros yn hir am fws. Doedd dim digon ohonyn nhw ac mi fu'n rhaid iddyn nhw stopio am dros hanner awr am fod peryg i'r dreifars fynd dros eu horie. Ond wedyn mi gafwyd bysie ychwanegol a fu dim cwyno weddill yr wythnos.

Mae'r ymateb i'r sioe ar y cyfrynge, yn y wasg, trwy lythyre, ac ar y we wedi bod yn ddiddorol ac yn hynod o gadarnhaol. Mi fuo'r ffôn yn canu'n ddi-stop ar ôl inni gyrredd adre ac mae llawer o lythyre a chardie wedi cyrredd Bryn Alaw erbyn hyn. Ma nhw wedi dod o bob rhan o Gymru a thu hwnt, o Gaerfyrddin a Chaernarfon, o Abergele ac Aberteifi, o Bwllglas a Phwllheli, o Loegr, yr Alban ac Iwerddon, ac amryw gan Aelode Seneddol ac Aelode'r Cynulliad. Pleser arbennig oedd derbyn llythyr o ddiolch ac o ganmoliaeth gan Christianne Glossop, oherwydd galle un gair ganddi hi cyn y sioe fod wedi rhoi stop ar bopeth gan mai hi yw prif swyddog milfeddygol Llywodraeth y Cynulliad. Roedd llythyr ganddi hi'n arwydd na tharfwyd ar y sioe gan glwy'r tafod glas, clwy'r traed a'r genau na'r diciáu.

Mae'r ymatebion ar y we hefyd yn ddiddorol, ac mae rhai ohonyn nhw, fel sy'n digwydd yn amal, yn fwy beirniadol. Roedd un yn canmol ond yn cwyno am y bobol sy'n cwyno ac yn negyddol, un arall yn canmol yr aelodaeth deuluol ond yn cwyno am bris y bwyd, un arall wedi gwylltio am iddo fo weld dau gi mewn car ac yn awgrymu y dylse fod cenelau ar eu cyfer yn y sioe. Beth wnaeth i'r person hwnnw ddod â'i gŵn efo fo sy'n ddirgelwch?! Oedd o'n meddwl mewn difri y câi o grwydro'r maes efo nhw tybed?

Mi gafwyd sawl cyferiad at y pris mynediad – £18, ac un yn cyfeirio at y ffaith fod miloedd yn tyrru i'r sioe a'i bod yn rhy hunanol wrth godi pris mor uchel. Ond mae'r rhai sy'n gwybod yn sylweddoli bod rhedeg sioe o'r fath yn gofyn am gyllid mawr a chaiff llawer o'r arian sy'n cael ei gasglu ei wario ar wella ac atgyweirio'r adnodde beth bynnag.

Mi gafwyd un cyfraniad eitha maith – a diddorol – gan ryw Mr D o Lanfair-ym-Muallt. Dyma mae o'n ei ddeud o'i fras gyfieithu:

> Dydi'r sioe yn dod â dim byd i'r dre ond diflastod. Mi ddyle'r trigolion gael mynd i mewn am ddim neu o leia am hanner pris. Does dim arian yn dod i'r dre. Oes, i'r siope a'r tafarne hwyrach, ond ddim i'r dre ei hun. Caiff y brif stryd ei defnyddio fel toiled, a bydd pobl y dre yn mynd ar wylie yn ystod wythnos y sioe er mwyn gallu dianc ac osgoi'r diflastod a'r difrod ar y strydoedd. Colli arian y llynedd? Dim o'r fath beth. Mi ddyle'r sioe wario ar adnoddau i blant y dre.

Dyn blin, mae'n amlwg. Ond roedd llawer mwy o ganmol nag o feirniadu gan gyfranwyr y we.

Ond i ddod yn ôl at y sioe ei hun. Mae hi drosodd am flwyddyn arall, ac wrth edrych yn ôl fedra i ddim dwyn i gof faint o gyfweliade wnes i, na sawl gwaith y bues i'n ysgwyd llaw i gyfarch rhywun neu i longyfarch enillwyr, na faint o bobol wnes i eu cyfarfod. Mi fu'n rhaid imi neud ambell i araith a rhoi ambell i gyfarchiad, ac mi fues i'n canu hefyd, a hynny ar wahân i'r gwasaneth a'r gymanfa. Ar y dydd Mawrth roedd Sain yn cyflwyno fy nghryno ddisg ddiweddaraf, *Sicrwydd Bendigaid*, i mi ar y maes ac mi ges gyfle i ganu rhyw ddau emyn oddi ar y cryno ddisg. Chware teg i Sain, ma nhw wedi addo dwy bunt i'r sioe am bob copi a werthwyd ar y maes, ac rwy'n deall fod dros £600 eisoes wedi dod i'r coffrau.

Mwynhau fy hun? Do, ar ôl sawl cyfnod pryderus, yn enwedig yn ystod y dyddie ola cyn iddi gychwyn. Ond y prif deimlad yw un o falchder 'mod i ac Ann wedi cael bod ynghlwm mor agos ag un o sefydliade pwyscia'r genedl, un sy'n mynd o nerth i nerth, ac un fydd yn sicr yn dal i wneud hynny, os gwnaiff hi, yng ngeire'r gân, gadw 'ei gwreiddie 'nghlwm ym mhridd y fro...'

PENNOD 12

Hoff wynebau sy gerllaw...

YDEN, MA NHW YMA O 'nghwmpas i. Os edrycha i allan drwy ffenest y stafell haul mi alla i weld rhan o fuarth Pen y Bryniau a chorn simne'r tŷ ei hun. Dene pa mor agos ydi o a dene pa mor agos mae Erfyl a Menai a'u plant, Rhidian Erfyl a Lea Erfyl. Drwy ffenest y gegin fyw mi alla i weld Pencraig Bach a Phencraig Mawr. Pencraig Bach ydi'r agosa, cartre Catherine a Geraint, a lle magwyd Trebor Huw, Llion Hywel ac Alwen Ann. Erbyn hyn, mae Catherine a Geraint yn nain a thaid i Catrin Fflur a Robin Huw. Yna ymhellach i ffwrdd mae Pencraig Mawr, cartre Gwyn a Lynn a'u plant, Dion Gwyn, Robert Cai a Lydia Mair. Drwy'r ffenest yma y ceir yr olygfa ore o'r tŷ, a'r tu hwnt i'r ddau Bencraig mae ardal Llanfihangel Glyn Myfyr a ffermydd Botegir a Bryn Eryr, a draw ar y gorwel y ffordd o Gerrigydrudion i Ruthun. Ambell dro yn y nos mi ellir gweld gole glas yn fflachio, car heddlu neu ambiwlans ar ei ffordd i ateb rhyw alwad neu'i gilydd, digon i atgoffa dyn bod argyfwng yn rhywle drwy'r amser ac nad ydi bywyd yn fêl i gyd.

Dydi Gwyddelwern ddim yn y golwg, ond drwy ffenest gwaelod y grisie mi alla i edrych dros Dy'n Llechwedd i gyfeiriad Ty'n Celyn, cartre Rose a Hywel, a lle magwyd eu plant, Haydn Glyn a John Clement. Oes, mae gan yr wyrion i gyd ddau enw! Dydi fy chwiorydd i ddim ymhell chwaith, Ann yn byw ym Mhentrellyncymer a'i gŵr, Wil Charles, bellach yn gynghorydd sir dros Uwchaled, a Margaret, sy'n weddw ers rhai blynyddoedd, yn byw ym Morfa Bychan. Ac mae amryw o deulu Ann, fy ngwraig, yn dal i fyw ym Metws-yn-Rhos.

Nid aelode'r teulu yn unig ydi'r hoff wynebe chwaith, ond cannoedd o gymdogion a chydnabod a chyfeillion, yn lleol a thu hwnt i'r ardal, ym myd ffarmio a chanu, rhai y profes i ac Ann o win eu caredigrwydd a'u croeso ar ein mynych deithie ac ymweliade dros y blynyddoedd. Yn anffodus, does dim gofod i enwi pawb; rhaid bodloni ar enghraifft neu ddwy ar y diwedd fel hyn i gynrychioli'r gweddill fel petai ac i ddangos sut mae un cyfeillgarwch yn arwain at un arall.

Drwy Ifor Lloyd y dois i ac Ann i gysylltiad ag Idris a Cynthia James, Abergwaun, fe ffoniodd i drefnu i mi fynd i ganu mewn cyngerdd yn eu cartref yn 1984 at gronfa yr Eisteddfod Genedlaethol gynhaliwyd ar eu tir nhw yn 1986. Fe godwyd dros £2,000 yn y cyngerdd hwnnw gyda llaw. Mi ddaethon ni'n ffrindie ar unwaith ac ryden ni'n aros efo nhw pan fyddwn ni yng nghyffinie Abergwaun a nhw yn dod yma i aros aton ni pan fyddan nhw yn y gogledd.

Hyd ryw ddwy flynedd yn ôl, pan fydden ni yn ardal Llandeilo, fydden ni byth yn aros yn unman ond efo Eirlys a Myrddin Morgan, Penybanc. Mynd yno'r tro cynta i gael gwely a brecwast a dod yn gyfeillion. Pan oedd Eirlys yn hogan ysgol mi fuodd hi, ar ei blwyddyn allan, mewn Ysgol Gwfaint yn Cork yn Iwerddon, ac mi ddaeth yn ffrindie efo Gwyddeles – Patsy, ac yn ddiweddarach efo'i gŵr Pat, sy'n filfeddyg.

Mi fydde'r ddau deulu yn cyfnewid tai am

wylie'n gyson, ac unwaith mi gafodd Ann a finne wahoddiad i fynd efo Eirlys a Myrddin i aros yn y tŷ yn Iwerddon, a thrwy hynny mi ddaethon ninne'n gyfeillion efo Patsy a Pat. Mae Pat yn ddyn pwysig efo'r Rotari lleol, ac ar ôl ei gyfarfod a dod i'w nabod mi gefais i a Chôr Bro Gwerful wahoddiad i ganu mewn cyngerdd yn y Neuadd Fawr yn Cork. Yn wir, mi fues i yno fwy nag unwaith yn canu, ac yn ciniwa efo criw y Rotari, dynion busnes llwyddiannus oedd yn prynu eiddo yng Nghymru – yn nhrefi'r brifysgol, Bangor, Aberystwyth, Abertawe a Chaerdydd, yn eu hatgyweirio ac wedyn yn eu gosod i fyfyrwyr. Roedden nhw'n rîal bois!

Y tro dwetha i ni gyfarfod Eirlys a Myrddin oedd yn Cross Hands wythnos yr Eisteddfod Genedlaethol yn Abertawe yn Awst 2006. Cyfarfod i gael te a sgwrs, griw ohonon ni. Yn fuan wedyn mi drawyd Eirlys yn wael a bu farw er mawr golled a thristwch inni i gyd.

Peth fel ene ydi canu a chyfarfod pobol, y naill beth yn arwain at y llall, a'r cyfan yn rhyw gyfrodedd braf o gyfeillgarwch ac ewyllys da, ond y cael yn golygu colli hefyd ar brydie.

Wrth chwilio a chwalu'r cof a phethe

sy'n help i'r cof ar gyfer casglu deunydd i'r hunagofiant yma, mae pentwr o lythyre a thoriade o bapure o 'mlaen i ac mae sawl peth wedi dod i'r golwg i neud imi deimlo'n hapus neu'n falch neu'n hiraethus.

Dene i chi'r llythyr o'r wythdege gan nyrs o ardal Pen-y-cae, Wrecsam, yn sôn am un o'i chleifion, sef Ann, oedd mewn cader olwyn ac a ddaeth i un o'm cyngherdde. Diolch imi am anfon llun ohonof iddi roedd hi gan fod Ann yn wrandawr brwd ar fy recordie, a'm canu, medde hi, yn codi ei chalon ac yn ei helpu drwy ei hargyfynge. Yna, llythyr arall o'r un cyfnod gan wraig o gyffinie Ross-on-Wye oedd wedi fy nghlywed yn canu ar record *Cân y Bugail* a brynwyd gan ffrind iddi yn y sioe yn Llanelwedd. Roedd hithe wedi hoffi fy nghanu ac isio gwybod am unrhyw gyngherdde y byddwn i'n canu ynddyn nhw yn rhywle ar y gororau, er mwyn iddi gael bod yno. Mae darllen llythyre fel y rhain yn gneud dyn yn hapus iawn, ac ar yr un pryd yn ostyngedig iawn.

Ac rwy'n teimlo'n falch hefyd o ddarllen ambell gyfeiriad, fel y pwt o'r papur lleol yn nodi imi ennill gwobre yn sioe'r Betws yr un diwrnod ag y cyrhaeddes i adref o America, balch fod gen i gymdeithas glòs, gynnes i ddod yn ôl iddi, balch o'r cyfle i ddangos bod y gymdeithas honno, yn y diwedd, yn bwysicach na phellafoedd byd.

Ond mae ambell i lythyr o'r gorffennol yn codi hireth, fel yr un dderbynies i gan Trefor Jones, fy hen brifathro, flynyddoedd yn ôl bellach yn dilyn rhyw raglen deledu wnes i. Dyma mae o'n ei ddeud:

> Mi gododd dy ganu a'r 'slides' o'r Betws glamp o hiraeth arna i. Gweld yr hen bentre a Delfryn a'r Ysgol o ochr Tŷ Newydd Isa. Cododd hiraeth ar Annette a Bernard yn Nolgellau hefyd. Wyddost ti fod tair blynedd ar hugien i'r dydd byrraf ers y gadewais y Betws. Mae'r amser yn cerdded.

Ac yna'r cyfeiriad yma:

> Aml i ddadl ges i hefo dy daid yn dy gylch di. Dy daid yn mynnu mai bariton fyddet ti a minnau yr un mor gadarn mai tenor fyddet ti.

Ac yng nghanol y cyfan dyma lun ohonof yn arwyddo llyfre llofnodion criw o ferched yn Woolworths, Rhydaman. Yno i gyflwyno un o fy recordie roeddwn i, ac mi gofiaf y rheolwr yn deud nad oedd o erioed o'r blaen wedi gweld y fath giw i brynu record Gymraeg!

A dyma adroddiad manwl o noson lawen ym Mhen Brynie. Do, mi fuon ni'n cynnal nifer o'r rhain ar gyfer achosion lleol. Roedd o'n un ffordd o gael talu'n ôl i bobol am eu cefnogeth a'u cyfeillgarwch, ac roeddwn i'n gallu defnyddio rhai o'r cysylltiade wnes i dros y blynyddoedd i ddenu artistiaid i'r nosweithie hyn.

Y noson lawen gynhaliwyd ar 24 Mehefin 1983 sy'n cael ei disgrifio yn y toriad. Idris Charles oedd yr arweinydd ffraeth ei dafod, roeddwn i'n canu ar ddechre'r noson ac i gloi, a Pharti Brenig a Pharti Eryri o gyffinie Rhyd-ddu yn cymryd rhan. Toni Schiavone oedd yn talu'r diolchiade ac roedd dros dri chant yn bresennol ar noson boeth o haf.

Mae Dafydd Iwan yn cyfeirio at un o'r nosweithie llawen hefyd wrth nodi achlysuron sy'n dod i'w gof wrth feddwl amdana i:

Y cyntaf oedd noson mewn sgubor anferth ym Mhen y Bryniau ei hun. Y lle dan ei sang, croeso Trebor a'i deulu heb ei ail, ac arwyddion ffermio da a llafur gonest ar bob llaw. Yr hyn a âi drwy fy meddwl i'r noson honno oedd y cyfuniad arbennig o Gymreig hwnnw sydd ym mywyd Trebor; y ffermwr hirben a llwyddiannus ar y naill law, a'r lleisiwr greddfol a diymhongar sy'n gymaint rhan o'i gymdeithas a'i gymuned ar y llaw arall.

Do, mi gafwyd blynyddoedd o drefnu nosweithie llawen yn y sied ddefed a'r sied silwair, ac mi godwyd cannoedd o bunnoedd at achosion da, cyn i ddeddfe afresymol iechyd a diogelwch roi stop ar y cyfan fel ar gymaint o bethe.

Ond dene ydi bywyd, rhai pethe'n dod i ben, rhai'n aros. Mae'r capel yn aros, llai o gynulleidfa nag a fydde a mwy o oedfaon undebol yn y Gro, yn Ninmael ac yng Nghynfal, ond nifer dda o ffyddloniaid yn mynychu o hyd, ac yr yden ni'n hynod o ffodus o'n gweinidog. Mae Dafydd Iwan yn cyfeirio at ei ymweliad â'r capel wrth ddeud pethe neis amdana i. Ond o leia, mae'n well iddo fo ddeud na fi!

Roeddwn yno'n pregethu unwaith, a'r capel yn gyfforddus lawn, a Trebor ac Ann yn cymryd eu lle arferol yn y gynulleidfa, a'r llais cyfarwydd i'w glywed ymhlith y dorf wrth ganu'r emynau.

Unwaith eto, darlun clir o'r eilun cenedlaethol yn rhan annatod o'i gynefin a'i gymuned.

Ac mi gafodd y Betws a'r capel gryn sylw eleni oherwydd 'mod i'n llywydd y sioe, a'r capel yn llawn ar gyfer *Dechrau Canu, Dechrau Canmol*, gyda dwy o gymwynaswyr y fro wrth y llyw, Margaret yn arwain ac Eleri'n cyfeilio.

Mae'r galwade i ganu yn dal i ddod, a does wybod o ble y dôn nhw na lle bydda i ar y pryd. Cerdded o'r maes carafanau i'r Gymanfa Ganu yn yr Eisteddfod Genedlaethol yng Nghaerdydd roeddwn i pan ddaeth galwad ar y ffôn bach. Un o ferched ffrind i mi, John Whitley o ffyrm Whitley Brothers, oedd ar y ffôn gyda'r newydd trist fod ei thad wedi marw, ac yn gofyn a wnawn i ganu yn ei angladd yn Nercwys.

Roedd gan John Whitley a'i wraig, Beryl, sy'n Gymraes, beder o ferched ac mi fûm i'n canu ym mhriodas pob un ohonyn nhw, y gyntaf ar Ynys Jersey! Y gân roedd y teulu eisiau i mi ei chanu yn yr angladd oedd y fersiwn wreiddiol Saesneg o 'Un Dydd ar y Tro', gan fod John bob amser yn deud, 'Peidiwch rhuthro, meddyliwch am gân Trebor, "Un Dydd ar y Tro".'

Roeddwn i eisoes wedi derbyn gwahoddiad i ganu mewn priodas ym mis Medi, ac mae i'r briodas honno hefyd gysylltiad â'r Eisteddfod Genedlaethol yng Nghaerdydd. Ar y dydd Sadwrn ola, er mawr lawenydd i ni y ffordd yma, mi enillwyd Gwobr Goffa David Ellis – y Rhuban Glas, gan Meirion Wyn Jones o Langynhafal, ger Rhuthun. Chwech wythnos yn ddiweddarach ar 20 Medi, roeddwn i a Meirion mewn priodas, yn canu deuawd yn y gwasaneth yng Nghapel Jerwsalem, Cerrigydrudion, ar achlysur priodas Awel Mehefin, fy nith, merch Ann a William Edwards, Pentrellyncymer, efo Meilir, sef nai Meirion, mab i'w frawd o Ysbyty Ifan. Awel ei hun oedd wedi cyfansoddi'r geirie a Nesta, mam Menai, gwraig Erfyl, wedi cyfansoddi'r alaw. Ymdrech deuluol felly, a dene finne'n gorfod dysgu alaw a geirie newydd sbon, rhywbeth go ddiarth yn fy hanes i erbyn hyn!

Ie, angladd a phriodas, dau eitha sbectrwm bywyd – tristwch a llawenydd. Rydw i ac Ann fel pawb arall wedi profi'r ddau ac wedi ceisio cyfleu hynny yn y gyfrol yma.

Os ydi bywyd wedi dysgu rhywbeth imi, mae o wedi dangos fod geirie'r gân y cenais i fwya arni, a'r un yr ydw i'n dal i'w chanu, yn hollol wir ac mai 'un dydd ar y tro' ydi hi yn ein hanes ni i gyd. Does dim y gallwn ni ei neud am y gorffennol, mae o wedi mynd, mae'r dyfodol yn ansicr a wyddon ni mo'i hyd o, felly gafael yn y presennol a gneud yn fawr ohono fo ydi'r unig athroniaeth sy'n gneud sens.

A finne ar drothwy pen-blwydd go arbennig yn fy hanes, pen-blwydd fydd yn cael ei ddathlu yn yr Eisteddfod pan ddaw i'r Bala, mi alla i dystio mai lle i ddiolch sy gen i yn fwya ac yn benna, diolch am fagwraeth dda a gofalus, am deulu sy wedi ac yn dal i lapio amdanaf, am gymar oes ffyddlon a dirwgnach, am gyfeillion dirifedi a chymdogion na fu erioed eu gwell, ac am yr holl gyfle ges i mewn bywyd, ym myd amaeth ac ym myd y canu. Rydw i'n freintiedig, pe bai ond am imi gael gwireddu'r dyhead fyneges i pan oeddwn i'n bymtheg oed, 'Mi faswn i'n licio ffarmio Pen Brynie.'

Am restr gyflawn o lyfrau'r Lolfa,
mynnwch gopi o'n catalog newydd, rhad
neu hwyliwch i mewn i'n gwefan

www.ylolfa.com

lle gallwch archebu llyfrau ar lein.

Talybont Ceredigion Cymru SY24 5HE
ebost ylolfa@ylolfa.com
gwefan www.ylolfa.com
ffôn 01970 832 304
ffacs 832 782